Fitchburg Public Library
610 Main Street
Fitchburg, MA 01420

WITHDRAWN

S0-CFG-006

COCINAVEGETARIANA

COCINAVEGETARIANA

edición

NICOLA GRAIMES

p

Copyright © Parragon Books Ltd

Idea y producción: The Bridgewater Book Company Ltd

Edición: Sarah Doughty

Diseño: Anna Hunter-Downing

Fotografías: Clive Bozzard-Hill

Todos los derechos reservados. Está prohibida la reproducción total o parcial de esta publicación, así como su almacenamiento o transmisión en cualquier formato o por cualquier medio sin la previa autorización por escrito de los titulares de los derechos.

Créditos de las ilustraciones
Parragon Books Ltd expresa su agradecimiento por haber obtenido permiso para reproducir el siguiente material sujeto a derechos: Corbis págs. 11, 45, 168 y cubierta.

Copyright © 2006 de la edición española
Parragon Books Ltd
Queen Street House
4 Queen Street
Bath BA1 1HE
Reino Unido

Traducción del inglés: Laura Sales Gutiérrez
para LocTeam, S. L., Barcelona
Redacción y maquetación de la edición en español:
LocTeam, S. L., Barcelona

ISBN: 1-40547-537-4

Impreso en China
Printed in China

Notas para los lectores
Todas las cucharadas utilizadas como unidad son rasas: una cucharadita equivale a 5 ml y una cucharada a 15 ml. Si no se indica lo contrario, la leche que se usa en las recetas es entera, los huevos y las hortalizas, como por ejemplo las patatas, son de tamaño mediano y la pimienta es negra y recién molida. Los niños pequeños, ancianos, embarazadas, convalecientes y enfermos no deben consumir platos que incluyan huevos crudos o muy poco cocidos. Los tiempos de preparación y cocción de las recetas son meramente orientativos, ya que la preparación puede variar en función de las técnicas empleadas por cada persona. Del mismo modo, los tiempos de cocción pueden diferir ligeramente de los especificados. Los ingredientes opcionales, las variaciones y las sugerencias de presentación no se han contabilizado en el cálculo de los tiempos.

ÍNDICE

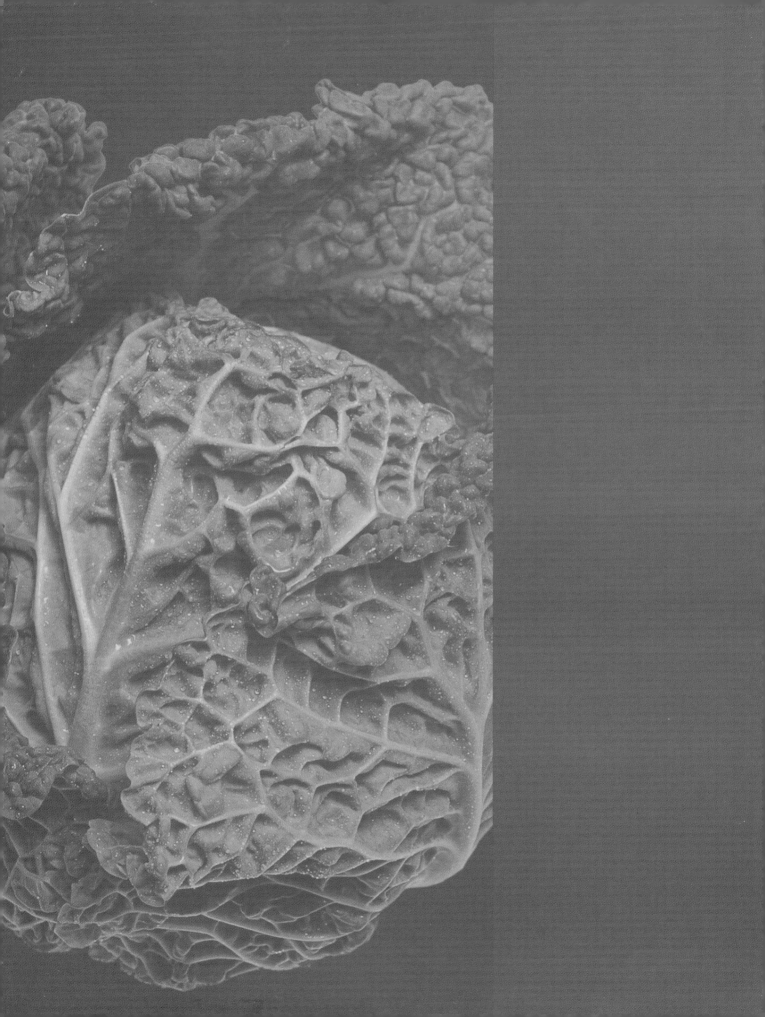

1

Cocina vegetariana es un completo manual de referencia que le servirá de gran ayuda para preparar menús vegetarianos sanos y apetitosos. Tanto si es un recién llegado al vegetarianismo como si busca nuevas fuentes de inspiración o sencillamente quiere reducir el consumo de carne, aquí encontrará una gran colección de nuevas recetas y técnicas de preparación de platos vegetarianos.

INTRODUCCIÓN

Las hortalizas son sin duda la base de la alimentación vegetariana. Hoy en día se puede encontrar en el mercado una amplia variedad de hortalizas deliciosas y con un gran valor nutritivo. Pero es fundamental llevar una dieta equilibrada que incluya también fruta, huevos, productos lácteos, frutos secos, semillas y legumbres; para ello deben planificarse detenidamente las comidas y las combinaciones de alimentos. Con las recetas incluidas en este libro, seguir una dieta vegetariana sana le resultará todo un placer y aprenderá a preparar platos ideales para todas las ocasiones.

Ser vegetariano

Ser vegetariano significa decidir no comer carne, pescado ni derivados de la carne y el pescado, como la gelatina. Los ovolactovegetarianos consumen huevos y productos lácteos, mientras que los lactovegetarianos no comen huevos. Los vegetarianos que no consumen lácteos, huevos ni productos no alimentarios de origen animal se denominan veganos.

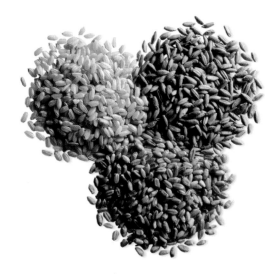

¿POR QUÉ SER VEGETARIANO?

Hay muchos motivos para optar por el vegetarianismo. Hay personas que dejan de consumir carne y pescado por motivos éticos, ya que no están de acuerdo con que se mate a los animales para consumo humano o no les parecen bien las técnicas que se utilizan para criar y sacrificar a los animales. A otros les preocupan los efectos que tiene la crianza de ganado para consumo humano sobre una tierra que podría dedicarse a la agricultura, así como cuestiones medioambientales. Muchos otros eligen la opción vegetariana por sus beneficios para la salud.

BENEFICIOS

Las hortalizas, la fruta, los frutos secos, las semillas, las legumbres, los huevos y los lácteos aportan una gran variedad de nutrientes con capacidad para estimular el sistema inmunológico y mejorar la salud. Según muchos estudios, los vegetarianos suelen disfrutar de una vida más larga y saludable. Por ejemplo, tienen un 30% menos de probabilidades de sufrir cardiopatías, hasta un 40% de cáncer y 20% de mortalidad prematura. Además, una dieta vegetariana sana normalmente va asociada a una presión sanguínea más baja y una menor incidencia de diabetes asociada a la alimentación y obesidad.

INCONVENIENTES

Como ocurre con toda dieta, la clave de una buena salud es el equilibrio y, como todo el mundo, los vegetarianos necesitan una alimentación variada. Sustituir la carne de una comida por un plato de hortalizas o una loncha de queso muy graso no asegura un valor nutritivo adecuado. Pero una dieta vegetariana puede ser nutritiva, y con frecuencia contiene mayores cantidades de las vitaminas antioxidantes C, E y betacaroteno. No obstante, también es recomendable garantizar una ingesta adecuada de hierro, zinc y vitaminas del grupo B, sobre todo B_{12}, una vitamina necesaria sólo en pequeñas cantidades, pero fundamental para el mantenimiento del sistema nervioso. Para los vegetarianos, son buenas fuentes de B_{12} el queso y los huevos, así como alimentos enriquecidos como el extracto de levadura, los cereales de desayuno, la leche de soja, la margarina de girasol y la proteína vegetal texturizada.

El zinc es un mineral esencial para la salud del sistema inmunológico y la piel, y se halla en los lácteos, las legumbres, los frutos secos, las semillas (sobre todo de calabaza), los productos integrales y los alimentos con levadura. La dieta vegetariana suele contener menos zinc que la omnívora, por lo que hay que complementarla con alimentos ricos en hierro. La carencia de este mineral es uno de los problemas nutricionales más extendidos entre vegetarianos y no vegetarianos. Es básico para la formación de la hemoglobina, el pigmento de la sangre, y se absorbe mejor si es de origen animal, por lo que es importante que los vegetarianos ingieran cantidades adecuadas. Son buenas fuentes de hierro las legumbres, los productos integrales, los huevos, las hortalizas de hoja verde, la melaza, los lácteos, los cereales enriquecidos, el arroz integral, el brécol y la fruta seca. La vitamina C potencia la absorción de hierro; se puede aumentar la ingesta simplemente tomando un zumo de naranja con una comida.

arriba izquierda *Los cereales son una importante fuente de energía.*

abajo *Deben comerse como mínimo dos piezas de fruta al día.*

derecha *Una alimentación sana debe ser variada y equilibrada.*

Alimentos básicos

Una dieta vegetariana equilibrada aporta los nutrientes necesarios para gozar de una buena salud. Es importante conseguir un equilibrio adecuado entre proteínas, hidratos de carbono, vitaminas, minerales y un poco de grasa. Los vegetarianos deben asegurarse de consumir alimentos proteicos variados, como huevos, frutos secos, legumbres, tofu y productos lácteos. Combinados diariamente con féculas, como patatas, productos integrales, arroz o pasta, se obtendrán las cantidades óptimas de nutrientes.

CEREALES Y PATATAS

En este variado grupo de alimentos, también llamados hidratos de carbono complejos, se incluyen la avena, el trigo, el maíz, el mijo, la cebada, el centeno y el arroz, junto con derivados como el pan y la pasta. Los cereales han sido un alimento básico durante miles de años: el trigo, la cebada, la avena y el centeno en Europa; el maíz en Norteamérica; la quinua en Suramérica; el arroz en Extremo Oriente y el mijo en África. Pese a la popularidad actual de las dietas bajas en hidratos de carbono, estos alimentos son nuestra principal fuente de energía. Pero no todos los hidratos de carbono son beneficiosos: los mejores son los no refinados, como el pan, la pasta y el arroz integrales, y las patatas con piel, que aportan fibra, vitaminas B y minerales diversos. Hay hidratos de carbono que deben consumirse en pocas cantidades o evitarse (los azúcares refinados de pasteles, galletas y cereales de desayuno azucarados), ya que producen oscilaciones en los niveles de azúcar en la sangre.

LÁCTEOS Y ALTERNATIVAS

El queso, la leche y el yogur se consideran alimentos proteicos «de primera» porque contienen los ocho aminoácidos esenciales, necesarios para el mantenimiento del organismo. No obstante, muchos lácteos, sobre todo el queso, la nata y la mantequilla, tienen un alto contenido de grasas saturadas. Los quesos con poca grasa (mozzarella, feta, ricotta, cheddar desnatado, etc.) y el yogur y la leche desnatados son también deliciosos, y aportan calcio y vitaminas A, B12 y D. Si prefiere no consumir lácteos, existen alternativas a base de soja, frutos secos o avena, con frecuencia enriquecidas con vitaminas y minerales. También se incluyen en este grupo los huevos; se recomienda un máximo de 3 o 4 por semana.

FRUTAS Y HORTALIZAS

Las frutas y las hortalizas deberían constituir la base de la alimentación de todas las personas porque son ricas en vitaminas, minerales y fibra, y bajas en calorías y grasas. La fruta seca es rica en hierro y fibra, pero contiene cantidades insignificantes de vitamina C.

En estudios recientes se han descubierto varios compuestos vegetales naturales que podrían desempeñar un papel fundamental en la prevención del cáncer, las cardiopatías, la artritis, la diabetes y otras muchas dolencias. Estos compuestos, denominados fitoquímicos, también se hallan en otros alimentos de origen vegetal, como los productos integrales, las legumbres, los frutos secos y las semillas. Para beneficiarse al máximo de los fitoquímicos, debe consumirse un mínimo de cinco tipos de frutas y hortalizas diferentes al día. Las crucíferas, como el brécol, la col, las coles de Bruselas, las acelgas y la coliflor, aportan una beneficiosa combinación de antioxidantes, que refuerzan el sistema inmunológico y lo protegen

izquierda *Las proteínas de los lácteos, como la leche o el yogur, aportan aminoácidos esenciales.*

arriba izquierda *Las patatas con piel son sanas y ricas en fibra.*

de radicales libres potencialmente perjudiciales presentes en el organismo. Los productos frescos de color naranja, rojo y amarillo son ricos en las vitaminas antioxidantes betacaroteno y vitamina C.

Es fundamental comprar frutas y hortalizas muy frescas para beneficiarse de su valor nutritivo. Compre productos orgánicos, de temporada y origen local, si es posible, y deseche las piezas pochas o magulladas; tendrán peor sabor y un valor nutritivo inferior.

arriba *Los principales nutrientes de la fruta se hallan justo bajo la piel. Es sano comerla cruda.*

derecha *Es fácil aumentar la ingestión de fibra tomando cereales con fibra en el desayuno.*

¿CUÁNTA FIBRA DEBE TOMARSE?

Pocas personas consumen suficiente fibra. Por término medio, comemos unos 12 g de fibra al día, pero la cantidad recomendada es de entre 18 y 20 g. Las frutas, las hortalizas, los productos integrales, las legumbres y los frutos secos son nuestras fuentes principales de fibra insoluble y soluble. La primera ayuda a combatir el estreñimiento, mientras que la segunda puede contribuir a la reducción del colesterol y a controlar los niveles de azúcar.

Para aumentar la ingesta de fibra:

- Base su dieta en el consumo de pan, pasta y arroz integrales, y frutas y hortalizas abundantes. Si es posible, no pele las frutas y hortalizas, ya que la piel contiene fibra.
- Las gachas, los cereales integrales y el muesli son desayunos ideales con mucha fibra.
- La fruta seca contiene mucha fibra: añádala a guisos, cereales, yogures, pasteles, bizcochos y puddings, troceada o triturada.
- Agregue legumbres a guisos, asados y pasteles para reforzar el contenido de fibra.

CINCO AL DÍA

La Organización Mundial de la Salud (OMS) recomienda comer cinco raciones de frutas y hortalizas al día. Los adultos deben comer tres clases de hortalizas y dos de fruta y los niños al revés, porque necesitan la energía adicional de la fruta. Escoja cinco raciones de esta lista:

- 1 manzana, 1 pera, 1 melocotón, 1 plátano o 1 naranja medianos
- 2 mandarinas satsumas o 2 ciruelas
- 12–15 cerezas o uvas
- 1 rodaja de melón o de piña
- 2–3 cucharadas de macedonia de frutas
- 1 cucharada de fruta seca
- 2 cucharadas de hortalizas frescas, congeladas o en conserva
- ½ pimiento
- 1 tomate mediano
- 150 ml de zumo de frutas u hortalizas

LEGUMBRES

Los guisantes, las judías secas y las lentejas se incluyen en el grupo de las legumbres y son ingredientes valiosos en una dieta vegetariana, ya que contienen una proporción de proteínas mayor que la de la mayoría de los vegetales. También son ricas en vitaminas B, hierro, calcio, zinc y fibra, y bajas en grasa. No es imprescindible utilizar legumbres secas y dejarlas en remojo durante horas; las legumbres en conserva son deliciosas y prácticas: ahorran tiempo de remojo y cocción. Además, conservan la mitad de su contenido en vitamina C, mientras que en las secas éste se pierde casi por completo. Pero si prefiere ponerlas en remojo y cocerlas en casa, cueza el doble de la cantidad que necesite y congele el resto.

El grano de soja es superior a las demás legumbres desde el punto de vista nutricional, ya que es una proteína completa (contiene los ocho aminoácidos esenciales) y es más rico en hierro y calcio. El tofu, el tempeh, el miso, la leche y el yogur de soja, y la soja texturizada son ingredientes nutritivos y muy valiosos en una alimentación sin carne.

En cuanto a las lentejas, existen varias clases y son versátiles, nutritivas y fáciles de cocer. Añádalas a sopas, guisos y platos al horno para aumentar su contenido proteico.

PRODUCTOS SECOS Y SEMILLAS

Estos alimentos son ricos en vitaminas B, hierro, magnesio, calcio, vitamina E, selenio, potasio, zinc y ácidos grasos esenciales omega-6, y aportan un valioso contenido proteico. No obstante, los cacahuetes y el coco contienen muchas grasas saturadas y deben consumirse con moderación. Elija frutos secos sin sal; son un aperitivo nutritivo y un

izquierda *Para los vegetarianos, las legumbres son una fuente de proteínas muy versátil.*

abajo *Las lentejas rojas partidas se cuecen más rápidamente que otras variedades.*

complemento saludable de guisos, postres, tartas y pasteles. En la medicina china, la nuez se denomina «fruta de la longevidad» y es uno de los pocos vegetales con ácidos grasos esenciales omega-3 y omega-6. Las semillas de calabaza también contienen ambos ácidos grasos, mientras que las nueces del Brasil y las semillas de girasol y sésamo, y los aceites derivados, son muy ricas en omega-6. Compre estos productos frescos, preferiblemente con cáscara, para que no se estropeen. Guárdelos en un recipiente hermético y protegidos de la luz.

ADVERTENCIA
Los frutos secos pueden producir una alergia grave con síntomas que pueden provocar la muerte. Si existe en su familia un historial de alergias a los frutos secos, consulte a un médico. Los niños menores de cinco años no deben comer frutos secos enteros para evitar el riesgo de asfixia.

arriba *Los frutos secos son muy nutritivos, pero también contienen muchas grasas saturadas.*

izquierda *El organismo necesita una cantidad moderada de grasas.*

GRASAS Y ACEITES

Todos sabemos que el exceso de grasa es perjudicial, pero una cantidad moderada de grasas no perjudiciales es esencial para la salud del cerebro y los ojos, el mantenimiento de los tejidos, la producción de hormonas y el transporte de las vitaminas por el organismo. El consumo elevado de grasas saturadas se asocia a un colesterol alto y enfermedades cardíacas, mientras que la grasa insaturada (monoinsaturada y poliinsaturada) puede reducir el colesterol. Las grasas poliinsaturadas aportan los ácidos grasos esenciales omega-3 y omega-6, de los que tanto se habla. La fuente más importante de omega-3 es el aceite de pescado, pero no es necesario prescindir de este nutriente en una dieta vegetariana: se halla en cantidades diversas en el aceite de linaza, el aceite de colza, las nueces, los huevos, las semillas de calabaza y el tofu. También es recomendable tomar un complemento dietético adecuado. Los ácidos omega-6 se encuentran en aceites vegetales, frutos secos y semillas. El aceite de oliva también es una grasa monoinsaturada.

¿QUÉ DEBE INCLUIR LA DIETA DIARIA?

- 5 raciones o más de frutas y hortalizas
- 3–4 raciones de cereales o patatas
- 2–3 raciones de legumbres, frutos secos y semillas
- 2 raciones de leche, queso, huevos o productos derivados de la soja
- Una pequeña cantidad de grasas o aceite, como aceite de oliva o girasol, mantequilla o margarina no hidrogenada

Fuente: The Vegetarian Society

Vitaminas y minerales esenciales

VITAMINA/MINERAL	FUNCIÓN	BUENAS FUENTES VEGETARIANAS	EFECTOS DE LA CARENCIA
VITAMINA A (denominada retinol si es de origen animal y betacaroteno si es de origen vegetal)	Para una vista sana, el crecimiento de los huesos y la reparación de la piel y los tejidos. El betacaroteno es antioxidante y refuerza el sistema inmunológico.	Lácteos, yema de huevo, margarina, zanahorias, calabaza, albaricoques, pimientos rojos, brécol, hortalizas de hoja verde, mango, albaricoques secos y boniatos.	Visión nocturna deficiente, piel seca y problemas del sistema inmunológico, sobre todo, trastornos respiratorios.
VITAMINA B1 (tiamina)	Fundamental para la transformación de los hidratos de carbono en energía, el sistema nervioso, los músculos y el corazón. Fomenta el crecimiento y la salud mental.	Cereales integrales, levadura de cerveza, extracto de levadura, nueces del Brasil, semillas de girasol, cacahuetes, arroz, salvado y micoproteína (Quorn®).	Depresión, irritabilidad, trastornos nerviosos, pérdida de memoria. Frecuente en los alcóholicos.
VITAMINA B2 (riboflavina)	Básica para la producción de energía, así como para una piel sana y la reparación y el mantenimiento de los tejidos.	Queso, huevos, leche, yogur, cereales de desayuno enriquecidos, extracto de levadura, almendras, pan integral, setas, ciruelas, anacardos y pipas de calabaza.	Falta de energía, afecciones cutáneas, labios secos y agrietados, entumecimiento y ojos irritados.
VITAMINA B3 (niacina)	Fundamental para la producción de energía y la salud del aparato digestivo, la piel y el sistema nervioso.	Legumbres, extracto de levadura, patatas, cereales enriquecidos, germen de trigo, queso, cacahuetes, huevos, setas, hortalizas de hoja verde, higos, ciruelas y semillas de sésamo.	La carencia no es frecuente, pero se caracteriza por falta de energía, depresión y escamas en la piel.
VITAMINA B6 (piridoxina)	Básica para la asimilación de proteínas y grasas, la formación de glóbulos rojos y la salud del sistema inmunológico.	Huevos, germen de trigo, harina integral, cereales, extracto de levadura, cacahuetes, plátanos, grosellas y lentejas.	Anemia, dermatitis y depresión.
VITAMINA B12 (cianocobalamina)	Esencial para la formación de glóbulos rojos, el crecimiento, la salud del sistema nervioso y la producción de energía.	Lácteos, huevos, cereales de desayuno enriquecidos, queso, extracto de levadura y leche de soja enriquecida.	Fatiga, poca resistencia a las infecciones, dificultad al respirar y anemia.
Folato (ácido fólico)	Básica para la formación de glóbulos rojos, la fabricación de ADN y la síntesis de proteínas. Se necesita más antes de la concepción y durante el embarazo para prevenir defectos del tubo neural en el feto.	Hortalizas de hoja verde, brécol, cereales de desayuno enriquecidos, pan, frutos secos, legumbres, plátanos, extracto de levadura y espárragos.	Anemia, pérdida de apetito. Asociada a los defectos del tubo neural del recién nacido.
VITAMINA C (ácido ascórbico)	Básica para piel, dientes, huesos y encías, para el sistema inmunológico, la resistencia a las infecciones, la producción de energía y el crecimiento.	Cítricos, melón, fresas, tomates, brécol, patatas, pimientos y hortalizas de hoja verde.	Sistema inmunológico deficiente, fatiga, insomnio y depresión.
VITAMINA D	Fundamental para tener la piel y los dientes sanos. Favorece la absorción de calcio y fosfato.	Luz solar, margarina vegetal no hidrogenada, aceites vegetales, huevos y productos lácteos.	Debilidad de huesos y músculos. A largo plazo, la carencia produce raquitismo.

VITAMINA/MINERAL	FUNCIÓN	BUENAS FUENTES VEGETARIANAS	EFECTOS DE LA CARENCIA
VITAMINA E (tocoferol)	Necesaria para una piel sana, la circulación y el mantenimiento de las células. Como antioxidante, salvaguarda la presencia de las vitaminas A y C en el organismo.	Semillas, germen de trigo, frutos secos, aceites vegetales, huevos, pan integral, hortalizas de hoja verde, avena, aceite de girasol, aguacate y cereales de desayuno enriquecidos.	Aumento del riesgo de cardiopatías, derrame cerebral y algunos tipos de cáncer.
VITAMINA K	Esencial para una correcta coagulación de la sangre.	Espinacas, col y coliflor.	La carencia es poco común.
Calcio	Básico para el desarrollo y el mantenimiento de los huesos y los dientes, las funciones musculares y el sistema nervioso.	Productos lácteos, hortalizas de hoja verde, semillas de sésamo, brécol, fruta seca, legumbres, almendras, espinacas, berros y tofu.	Fragilidad de los huesos, osteoporosis, fracturas y debilidad muscular.
Hierro	Componente esencial de la hemoglobina, que transporta el oxígeno en la sangre.	Yema de huevo, cereales enriquecidos, hortalizas de hoja verde, fruta seca, anacardos, legumbres, productos integrales, tofu, pipas de calabaza, melaza y arroz integral.	Anemia, fatiga y poca resistencia a las infecciones.
Magnesio	Necesario para la salud de músculos, huesos y dientes, el crecimiento normal y la producción de energía.	Frutos secos, semillas, productos integrales, legumbres, tofu, higos y albaricoques secos, y hortalizas de hoja verde.	Carencia infrecuente. Sus síntomas son: aletargamiento, debilidad de músculos y huesos, depresión e irritabilidad.
Fósforo	Esencial para la salud de huesos y dientes, las funciones musculares, la producción de energía y la asimilación de nutrientes, sobre todo de calcio.	En la mayoría de los alimentos: leche, queso, yogur, huevos, frutos secos, semillas, legumbres y productos integrales.	La carencia es poco común.
Potasio	Importante para la hidratación del organismo, una presión sanguínea normal y los neurotransmisores.	Plátanos, leche, legumbres, frutos secos, semillas, productos integrales, patatas, fruta y hortalizas de raíz.	Debilidad, sed, fatiga, confusión mental y aumento de la presión sanguínea.
Selenio	Esencial para proteger el organismo de los radicales libres, para las funciones de los glóbulos rojos y para tener un cabello y una piel sanos.	Aguacate, lentejas, leche, queso, pan integral, anacardos, nueces, algas y semillas de girasol.	Reducción de las defensas.
Zinc	Necesario para un sistema inmunológico sano, la formación de los tejidos, el crecimiento normal, la cicatrización y la reproducción.	Cacahuetes, productos integrales, pipas de girasol y calabaza, legumbres, leche, queso curado, yogur, germen de trigo y micoproteína (Quorn®).	Crecimiento y desarrollo deficientes, cicatrización lenta y pérdida de los sentidos del gusto y el olfato.

Planificación de las comidas

La clave de una buena alimentación es la variedad. Una comida equilibrada incluye cantidades suficientes de proteínas, hidratos de carbono, fibra, grasas no perjudiciales, vitaminas y minerales. La dieta ideal contiene las calorías suficientes para aportar energía vital al organismo; el exceso de calorías suele desembocar en aumento de peso.

arriba *El salteado es una técnica rápida y excelente desde una perspectiva nutricional.*

NIÑOS VEGETARIANOS

No hay ningún motivo por el que a los niños no les pueda sentar bien una alimentación vegetariana, siempre que no consista únicamente en bocadillos de queso, judías y patatas fritas. No obstante, es cierto que sus necesidades dietéticas son algo distintas de las de los adultos. Los niños pequeños pueden tener dificultades para digerir grandes cantidades de fibra; el exceso de fibra puede hacer que un niño se sienta satisfecho antes de haber ingerido nutrientes suficientes, además de producir dolor de estómago. La fibra también puede interferir en la absorción del hierro, el zinc y el calcio. Tampoco debe incluirse en la dieta de los niños pequeños el salvado refinado.

Los alimentos bajos en grasa, como la leche y el queso desnatados, no contienen las calorías, y por tanto la energía, necesarias para los niños en pleno crecimiento: los lácteos desnatados sólo son adecuados a partir de los dos años.

También se recomienda un mínimo de cinco raciones de frutas y hortalizas al día. A diferencia de los adultos, los niños deben consumir tres raciones de frutas y dos de hortalizas, porque la fruta aporta mucha energía.

Los bebés y los niños pequeños no pueden comer demasiado de una sola vez. Se recomiendan tres comidas nutritivas y dos aperitivos ligeros y saludables al día.

UNA COMIDA EQUILIBRADA

Asegúrese de que todas las comidas incluyen una fuente de proteínas (huevos, legumbres, tofu, lácteos, frutos secos o semillas) y otra de hidratos de carbono (pasta, arroz, cereales integrales o pan). A pesar de la actual popularidad de las dietas bajas en hidratos de carbono, se recomienda que cada comida contenga un mínimo de 50% de hidratos de carbono. Recuerde que muchos alimentos, como las legumbres y los cereales integrales, contienen proteínas y también hidratos de carbono. Asimismo es fundamental incluir una cantidad moderada de grasas en la alimentación, no sólo por motivos de salud, sino porque contribuyen al sabor, la textura y la palatabilidad

de los alimentos. Limite las grasas a un máximo del 30% de la dieta diaria y elija grasas poliinsaturadas.

En la comida principal del día, intente incluir un mínimo de dos clases de hortalizas cocinadas (al vapor, salteadas, asadas o preparadas en el microondas mejor que hervidas). También puede preparar una gran ensalada con varias clases de hortalizas de colores diversos, como la rúcula, los berros, las espinacas, la remolacha, el aguacate, los tomates y la zanahoria. Las frutas y los postres con frutas son un práctico y excelente recurso para terminar una comida o un aperitivo ligero.

No prepare siempre los mismos platos. Experimente con alimentos diversos y pruebe recetas nuevas. Antes de hacer la compra semanal, anote o prepare mentalmente el menú de la semana. De este modo, se asegurará de comer alimentos variados y tener en casa los ingredientes adecuados, en lugar de una serie de productos que no combinan entre sí.

Se suele creer erróneamente que los vegetarianos tienen que combinar alimentos proteicos en todas las comidas. Según los últimos estudios, basta con consumir diariamente varios alimentos con contenido proteico.

CUIDADO CON...

Es recomendable leer las etiquetas de los envases antes de comprarlos. Esta lista puede servirle de referencia.

ADITIVOS

En este grupo se incluyen los emulsionantes, los colorantes y los aromas, que pueden ser vegetales o no. Dos de los más comunes son el E441 (gelatina), un gelificante derivado de órganos y huesos de animales, y el E120 (cochinilla), elaborado a partir de insectos triturados.

ALBÚMINA

Puede provenir de huevos de aves criadas en granjas con baterías de jaulas.

ALCOHOL

El alcohol se clarifica con ingredientes animales. Todas las cervezas de tipo *real ale* y algunas cervezas embotelladas, en lata y de barril negras y de tipo *bitter* y *mild* se clarifican con ictiocola, que proviene de la vejiga natatoria de algunos peces tropicales. El vino también puede clarificarse con ictiocola, sangre seca, albúmina de huevo proveniente de gallinas criadas en baterías de jaulas, gelatina y quitina de los caparazones de cangrejos y gambas. Son alternativas vegetarianas la bentonita, el kieselgur, el caolín y el gel de sílice. El oporto no añejo se clarifica con gelatina.

ASPIC

Es una gelatina sabrosa derivada de la carne o el pescado.

CARAMELOS

Pueden contener gelatina, cochinilla y grasas animales.

GELATINA

La gelatina suele ser de origen animal, pero también existen alternativas vegetales con agar-agar o goma guar.

GRASAS ANIMALES

Pueden utilizarse en galletas, pasteles, bollos, caldos, patatas fritas, margarinas, platos preparados y helados. Las «grasas comestibles» pueden ser de origen animal.

HUEVOS

Son productos de origen animal. Algunos alimentos, como la mayonesa o la pasta, pueden contener huevos de aves criadas en baterías de jaulas. Si es posible, compre huevos orgánicos de granja.

MARGARINA

Puede contener vitamina D3, grasas, gelatina y aditivos de origen animal, así como suero de leche.

QUESOS

Muchos se elaboran con cuajo animal, un enzima del estómago de la ternera. El queso para vegetarianos se elabora con enzimas microbianos o micóticos. Se suele utilizar queso de origen animal en la salsa pesto y otras salsas, así como en los platos preparados.

REFRESCOS

Todos los refrescos, y especialmente los de naranja en lata, pueden contener gelatina, que se utiliza como portador de betacaroteno añadido.

SALSA «GRAVY»

Está elaborada con extractos de carne, pero también existen alternativas vegetarianas.

SALSA WORCESTERSHIRE

La mayoría de las marcas contienen anchoas, pero también existen variantes vegetales.

SEBO

Es una grasa animal, pero existen variantes vegetarianas.

SOPA

La sopa puede contener caldo o grasas de origen animal.

YOGUR, CRÈME FRAÎCHE, QUESO FRESCO DESNATADO Y HELADO

Algunas variedades desnatadas pueden contener gelatina.

Fuente: The Vegetarian Society

abajo *Encontrará quesos para vegetarianos en supermercados y tiendas de alimentación.*

La despensa vegetariana

Con una despensa, un frigorífico y un congelador bien surtidos resulta mucho más fácil preparar comidas vegetarianas sanas y nutritivas. Asimismo, es fundamental comprar ingredientes de buena calidad y conservarlos, prepararlos y cocinarlos de modo que retengan el máximo valor nutritivo.

LA DESPENSA

Con la siguiente lista de ingredientes se consigue una despensa bien surtida. No es en absoluto exhaustiva y quizá no todos los productos sean de su gusto, pero sirve de orientación general.

• Legumbres y hortalizas en conserva: judías variadas, garbanzos, lentejas, tomates, maíz, pisto, alcachofas, aceitunas y espárragos.
• Salsas: de judías negras, Teriyaki, Hoisin, pesto, de tomate y Satay.
• Condimentos: harissa (pasta de guindilla), tomate triturado, concentrado de tomates secados al sol, salsa de soja, tamari, salsa Worcestershire vegetariana, pasta de aceitunas, salsa de guindilla dulce, miso, mostaza y mayonesa.
• Condimentos de caldo: cubitos de caldo de hortalizas y caldo miso.
• Clases de harina: normal, integral de fuerza, blanca, de trigo sarraceno, sin gluten, polenta y fécula de maíz.
• Legumbres secas: garbanzos, judías y lentejas variadas, proteína vegetal y soja texturizada.
• Fruta seca: albaricoques, higos, ciruelas, dátiles, manzanas y pasas.

• Frutos secos y semillas: judiones, nueces, nueces del Brasil, anacardos, frutos secos picados, almendras molidas y fileteadas, pipas de girasol, de calabaza y semillas de sésamo.
• Cereales: pasta y arroz de varias clases, fideos de trigo sarraceno y al huevo, cuscús, trigo de bulgur, quinua, cebada, mijo y polenta.
• Aceites y vinagres: aceite de oliva (virgen y virgen extra), de girasol, de frutos secos, vegetal y de sésamo; vinagre de vino blanco, tinto y de sidra, balsámico y de jerez.
• Hierbas aromáticas secas y especias: orégano, mezcla de especias, tomillo, estragón, azafrán, cilantro, comino, guindilla, cardamomo, canela, nuez moscada, cayena, pimentón y jengibre.

arriba izquierda *La pasta, el arroz y los cereales son ingredientes básicos en cualquier despensa.*

arriba *La fruta seca se conserva mejor si el envase es hermético.*

izquierda *Es preferible guardar aceites y vinagres en un lugar fresco y resguardado de la luz.*

- Confituras y edulcorantes: jarabe de arce, melaza, miel, fructosa (azúcar natural), azúcar demerara, extrafino y glas, mermeladas y compotas.
- Galletas y panes: galletas integrales y de avena, pasteles de arroz, de maíz y bastoncillos de pan.

CONSEJOS PARA LA COMPRA

Compre los productos frescos en tiendas que renueven con frecuencia las existencias, dado que la fruta y las hortalizas que llevan mucho tiempo a la venta suelen contener menos vitaminas y minerales. No adquiera frutas u hortalizas si están en un escaparate expuestas a la luz y el calor, ya que esto afecta al contenido nutritivo. Es más fácil comprobar la calidad de los productos frescos si no están envasados.

En cuanto a los huevos, adquiéralos orgánicos o de granja; las gallinas no sólo viven en mejores condiciones, sino que también se alimentan con productos naturales y no se les administran habitualmente antibióticos ni colorantes para mejorar el aspecto de la yema.

Al comprar productos envasados, lea las etiquetas. Evite los productos con alto contenido de azúcar, sal, grasas saturadas e hidrogenadas (trans), colorantes, aditivos, aromas, conservantes y edulcorantes artificiales, muchos de los cuales se han asociado a alergias, no son saludables y con frecuencia tampoco son aptos para vegetarianos.

Los ingredientes secos, como legumbres, cereales, frutos secos y semillas, deben comprarse en pequeñas cantidades y guardarse en recipientes herméticos y en un lugar fresco y resguardado de la luz. Si se conservan durante mucho tiempo, pueden ponerse rancios. El aceite debe adquirirse preferiblemente en envases opacos y guardarse en un lugar fresco y resguardado de la luz para evitar que se oxide.

EMPEZAR A COCINAR

La forma de preparar un alimento afecta a su valor nutritivo. En términos generales, las frutas y hortalizas son más nutritivas crudas que cocidas y, si es posible, es mejor no pelarlas, porque muchos nutrientes se hallan en la piel o justo debajo de ella. Lave o cepille las hortalizas, pero no las ponga en remojo para que no pierdan sus nutrientes hidrosolubles. Prepare las frutas y hortalizas justo antes de cocerlas o servirlas, porque algunos nutrientes, como la vitamina C, se ven reducidos en cuanto la superficie cortada se expone al aire. Saltee o cueza los alimentos al vapor en lugar de hervirlos, puesto que al hervir se destruyen vitaminas hidrosolubles como la B y la C. El líquido de cocción se puede aprovechar para caldos y salsas.

arriba izquierda *Es recomendable tener en la despensa un surtido de galletas nutritivas.*

arriba *Comprar productos no envasados permite comprobar su calidad.*

LAS VENTAJAS DE LO ORGÁNICO

Es posible que los productos orgánicos sean algo más caros, pero tienen muchas ventajas. Las frutas y hortalizas orgánicas suelen tener mejor sabor porque no se cultivan de forma intensiva y, de este modo, no absorben un exceso agua. Se suelen cultivar en un suelo de mejor calidad y se dejan madurar más tiempo en la planta, en lugar de madurarse artificialmente, lo que puede afectar al sabor y al contenido nutritivo. Además, según algunos estudios el bajo contenido de agua de los alimentos orgánicos indica una mayor concentración de vitaminas y minerales. Se cree que los niños son más vulnerables que los adultos a los efectos de los residuos de pesticidas.

Hortalizas

Las hortalizas son un ingrediente fundamental para una dieta sana y son muy beneficiosas desde un punto de vista nutricional. Se recomienda comer al menos tres clases distintas de hortalizas al día. La oferta actual es muy amplia; además, las hortalizas proporcionan a los vegetarianos infinitas posibilidades culinarias.

CRUCÍFERAS

Este amplio y variado grupo de hortalizas aporta unos extraordinarios beneficios para la salud y debería ser habitual en nuestra alimentación, al menos 3 o 4 veces por semana. Las crucíferas contienen numerosos fitoquímicos, un grupo de compuestos que, según los últimos descubrimientos, constituyen un cóctel anticancerígeno y desempeñan un papel fundamental en la lucha contra las enfermedades, al estimular las defensas del organismo. Este grupo de alimentos no se debe cocer demasiado, con el fin de evitar la destrucción de nutrientes y la pérdida de sabor; es mejor optar por la cocción al vapor o el salteado. A algunas personas les desagradan las crucíferas por su leve sabor amargo, pero esto puede contrarrestarse sirviéndolas con una salsa de nata o queso. También combinan muy bien con platos orientales.

COL

La col resulta deliciosa ligeramente cocida o rallada en ensalada. Entre sus variedades se cuentan la col blanca o de Milán, de hojas arrugadas e ideal para prepararse rellena, la berza y la col lombarda, lisas y firmes. Para conservar su color, añada un poco de vinagre al agua de la cocción. La col china tiene un aroma más delicado y es perfecta para ensaladas y salteados.

BRÉCOL

Existen dos tipos de brécol: el brécol original tiene tallos largos y estrechos y cabezuelas pequeñas y moradas. Son comestibles las hojas, los tallos y la pella. El Calabrese o brécol italiano, fácil de encontrar en el mercado, tiene una pella muy prieta y un tallo grueso. Escoja ejemplares con ramilletes de color verde oscuro o morado y rechace los que presenten zonas amarillas o un tallo mustio. A la hora de servirlo, no olvide el tallo, que también es nutritivo y puede servirse crudo, rallado en ensalada o cortado, como crudité.

COLIFLOR

Existen muchas variedades de colores diversos: del blanco al verde pálido y el morado. Siempre deben estar envueltas en hojas verdes, que protegen los ramilletes más delicados.

COLES DE BRUSELAS

Las coles de Bruselas son una especie de coles en miniatura con un aroma intenso y matices almendrados. Son más dulces si se cosechan después de la primera helada. Su preparación óptima es una ligera cocción o, aún mejor, un salteado.

HORTALIZAS DE HOJA

Según los estudios realizados sobre los beneficios para la salud de las hortalizas de hoja, el consumo habitual de espinacas, acelgas y col china pak choi puede proteger el organismo de ciertos tipos de cáncer. Estas hortalizas resultan más sabrosas al vapor o salteadas y combinan muy bien con platos orientales con ajo, jengibre, guindilla y salsa de soja.

ESPINACAS

Las espinacas contienen hierro, aunque no tanto como se creía en otros tiempos. Además, este contenido en hierro no resulta fácil de asimilar, si bien se puede aumentar la absorción combinando las espinacas con alimentos ricos en vitamina C. Desde una perspectiva nutricional, es mejor comerlas crudas, para lo cual resultan más adecuadas las hojas jóvenes.

ACELGAS

Al igual que las espinacas, las acelgas deben tener hojas verde oscuro y un tallo blanco o rojizo. Como el tallo tarda más en cocerse que las hojas, es mejor cortarlo en rodajas e iniciar la cocción un poco antes que la de las hojas.

COL CHINA PAK CHOI

Es la variedad de col china más típica. Presenta tallos gruesos, blancos y rectos rematados por hojas verde oscuro. Tiene un aroma suave, lo que la hace popular entre los niños, y añade un toque delicioso a salteados, sopas, platos con fideos y ensaladas. El tallo tarda un poco más en cocerse que las hojas.

HORTALIZAS DE TALLO

En este heterogéneo grupo se incluyen los espárragos, el hinojo, la achicoria, el apio y la alcachofa. La distinguida alcachofa tiene un aroma exquisito y se puede comer de forma muy divertida: sencillamente se hierve con agua y se mojan las hojas con mantequilla con ajo, mayonesa o una vinagreta. La parte más sabrosa es el corazón, el centro de la hortaliza que queda recubierto por las brácteas.

ESPÁRRAGOS

Existen dos clases de espárragos: los blancos se recolectan justo antes de que los brotes lleguen a la superficie del suelo, mientras que los verdes se cortan por encima de la tierra y desarrollan su color al entrar en contacto con la luz solar. Se pueden preparar con una breve cocción al vapor, hervidos, a la plancha o asados. Deseche siempre el extremo leñoso.

APIO

El apio da una textura crujiente a las ensaladas y es una buena base para sopas y guisos. El apio verde se encuentra todo el año y el amarillento, en invierno. Escoja tallos firmes y rígidos, pero no deseche las hojas, de sabor acre, que pueden añadirse a los caldos. Las pencas también pueden prepararse rehogadas.

ACHICORIA

Las hojas largas y apretadas de la achicoria y la achicoria roja tienen sabor amargo, por lo que no se debe abusar de ellas. Deseche la raíz y el corazón, y córtela en rodajas finas. Puede servirse cruda en ensaladas, al vapor o rehogada.

también puede presentar un tono amarillo pálido o rosado. La seta shiitake tiene una textura correosa y un sabor intenso, y se utiliza sobre todo en la preparación de platos orientales.

HINOJO

El hinojo tiene un aroma suave y anisado, más intenso si se come crudo. Si se prepara asado (cortado en cuñas), se suaviza el sabor y se añade un delicioso toque dulce. También combina bien con ingredientes mediterráneos, como el tomate, el aceite de oliva, el ajo y la albahaca.

SETAS

Existe una gran variedad de setas, frescas y secas, y actualmente incluso se cultivan muchas especies silvestres. La seta más popular es el champiñón común cultivado, de sabor suave y sombrero redondeado, y el silvestre, con un aroma más terroso e intenso. Compre setas con consistencia firme y olor a fresco; deseche las que tengan áreas viscosas y húmedas. Las setas secas se conservan bien: póngalas en remojo con agua hirviendo y déjelas de 20 a 30 minutos. Escúrralas y lávelas bien para retirar la suciedad y la tierra. Puede utilizar el agua para caldos y salsas, pero antes pásela por un colador fino.

BOLETOS

Los boletos tienen una textura carnosa y un aroma leñoso. Secos aportan mucho sabor a sopas, caldos y salsas.

REBOZUELO

El rebozuelo, de color dorado, tiene un aroma delicado. En lugar de lavarlo, límpielo con un paño porque es muy poroso. La mayoría de las setas deben prepararse de esta forma, menos la colmenilla, que tiene el sombrero agujereado.

SETAS SHIITAKE Y DE OSTRA

Ambas se cultivan mucho actualmente. La seta de ostra tiene forma aflautada y suele ser de color gris amarronado, pero

CÓMO PREPARAR SETAS FRESCAS

Es preferible no lavar las setas para evitar que se empapen de agua, pues ello afecta a su sabor. Corte los pies y limpie los sombreros con papel de cocina húmedo para retirar los restos de tierra y abonos.

Algunas setas crecen en medios arenosos y son difíciles de limpiar con un simple papel húmedo. Déjelas en remojo con agua fría; la arena se irá al fondo. Sacúdalas bien y séquelas con papel de cocina.

HORTALIZAS DE RAÍZ Y TUBÉRCULOS

La patata, la zanahoria, el colinabo, el apio-nabo, la remolacha o la chirivía son ingredientes clásicos de la cocina vegetariana. Con su carne dulce y densa, aportan gran variedad de vitaminas y minerales, y tampoco se debe olvidar su contenido en fibra.

PATATA

Existen cientos de variedades de patata, unas más adecuadas que otras para ciertas técnicas de cocción. Las patatas cerosas resultan mejores hervidas o asadas enteras, mientras que las variedades harinosas son más aptas para las preparaciones a la parrilla, al horno y para purés. En un lugar resguardado de la luz y bien ventilado, las patatas se conservan unas dos semanas. Los boniatos tienen una carne naranja o blanca (el primer tipo es más rico en betacaroteno). El boniato blanco tiene una consistencia más seca una vez cocido, pero ambos resultan deliciosos a la parrilla, al horno o en puré.

LECHUGA

La lechuga romana y la iceberg tienen hojas duras y crujientes, mientras que el cogollo es una variedad más pequeña y dulce de la lechuga romana. Las hojas rizadas del lollo rosso son verdes en la base y de un rojo intenso en los bordes. La lechuga hoja de roble es también muy apetitosa. Desde un punto de vista nutricional, es mejor consumir la lechuga cruda. También pueden consumirse rehogadas, al vapor y en cremas y sopas.

OTROS VEGETALES DE ENSALADA

La mizuna, la rúcula y los berros tienen un intenso sabor característico que anima cualquier ensalada. La escarola, la escarola rizada y la achicoria roja son algo más amargas y es preferible usarlas con moderación, porque tienen un sabor muy fuerte.

HORTALIZAS DE FRUTO

El tomate, la berenjena, la guindilla, el aguacate y el pimiento se consideran frutos en términos botánicos. Este nutritivo grupo añade mucho color y sabor a los platos. La berenjena, denominada en Oriente Medio «el caviar de los pobres», aporta sabor a guisos especiados y platos al horno con tomate, y pueden prepararse asadas, a la parrilla o en puré con salsas de ajo.

ZANAHORIA Y REMOLACHA

Cuando las compre, recuerde que las piezas más pequeñas son más dulces. Pueden consumirse crudas o ralladas en ensaladas, o utilizarse para salsas y cremas. Asadas son más dulces.

APIO-NABO

Esta raíz nudosa tiene un sabor que recuerda al apio. Puede consumirse crudo en ensalada, pelado y rallado, o bien cocido al vapor, asado o en un delicioso puré, mezclado con patatas.

AGUARTURMA

Este tubérculo pequeño y nudoso tiene un sabor suave y almendrado, y resulta delicioso asado o en cremas. Para consumirlo, no lo pele; simplemente cepíllelo.

HOJAS PARA ENSALADA

Existe en el mercado una inmensa variedad de vegetales de ensalada con formas, texturas, colores y sabores diversos: de la endivia, con su sabor amargo, al matiz picante de los berros, pasando por las delicadas lechugas acogolladas. Las prácticas bolsas de ensalada variada permiten degustar muchos vegetales distintos, si bien no suelen durar tanto como los que se envasan por separado.

TOMATE

Existen muchas variedades de tomate, desde el pequeño y dulce tomate cherry a la variedad grande de ensalada. El tomate de pera es ideal para salsas sustanciosas, mientras que el tomate secado al sol aporta sabor a salsas, cremas y guisos.

GUINDILLA

La guindilla es un ingrediente fundamental en la gastronomía de muchos países, como México, la India y Tailandia. Existen cientos de variedades de intensidad variable, desde guindillas suaves y aromáticas hasta otras extremadamente picantes.

PIMIENTO

El pimiento rojo, el amarillo y el naranja son excelentes fuentes de vitamina C, mientras que el verde y el morado lo son en menor medida. Los pimientos verdes son frutos totalmente desarrollados, pero no tan maduros como las variedades de colores más vistosos, por lo que pueden ser más difíciles de digerir.

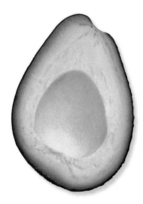

AGUACATE

El aguacate es rico en vitaminas C y E, y se considera beneficioso para la salud de la piel y el cabello. Úntelo con zumo de limón o lima después de cortarlo para impedir que se ennegrezca. Se suele comer crudo, pero también puede prepararse asado.

VAINAS Y SEMILLAS

Las hortalizas de esta categoría, como los guisantes, las judías verdes, los tirabeques, las habas y el maíz, tienen un alto valor nutritivo.

GUISANTES

El guisante es una de las pocas hortalizas que resulta igual de sabrosa tanto si se utiliza fresca como congelada.

HABAS

Las mejores habas son las más jóvenes y frescas. Las más pequeñas pueden comerse enteras, pero si están más desarrolladas quizá prefiera extraer la suculenta judía verde del interior de su rígida vaina tras la cocción.

JUDÍAS VERDES

Al comprarlas, búsquelas de buen color y deseche los ejemplares descoloridos o mustios. Sencillamente, corte los extremos y cueza las judías al vapor hasta que estén tiernas. Quedan deliciosas en una ensalada tibia, aliñadas con una salsa de jengibre, ajo, aceite de sésamo y vinagre de arroz.

MAÍZ

Es preferible consumirlo recién recolectado o comprado, antes de que los azúcares naturales empiecen a convertirse en almidón y las mazorcas pierdan su sabor dulce y se endurezcan. También es recomendable comprar mazorcas envueltas en su farfolla verde, que ayuda a mantenerlas frescas.

BULBOS

La cebolla, el ajo, el puerro, el chalote y la cebolleta añaden mucho sabor a todo tipo de sabrosos platos vegetarianos y también pueden cocinarse solos. Las cebollas y los ajos deben guardarse en un lugar fresco, seco y aireado, y protegerse de la luz solar directa.

CEBOLLA

La cebolla aporta potentes antioxidantes y contribuye a la reducción de los niveles de colesterol perjudiciales para la salud. Al cocerlas se atenúa la acritud de este grupo de hortalizas, mientras que asarlas realza su delicioso toque dulce. Las variedades de cebolla ofrecen una gama de sensaciones gustativas: desde la dulce y suave cebolla blanca española hasta la ligera y fresca cebolleta o la cebolla amarilla, versátil y acre. Las cebollitas y los chalotes son las especies más pequeñas de la familia.

CUCURBITÁCEAS

Este grupo de hortalizas abarca una gran variedad de colores, formas y tamaños. Se dividen a grandes rasgos en dos clases: estivales, como los pepinos, los calabacines y algunas calabazas; e invernales, grupo en el que se incluyen diversos tipos de calabaza.

ESTIVALES

El calabacín está en su mejor momento cuando es pequeño y joven; a medida que aumenta de edad y tamaño, tiene menos sabor y las semillas se endurecen. Es muy versátil: puede prepararse al vapor, salteado, en puré, a la parrilla y asado, además de utilizarse en cremas y guisos. Sus flores amarillas y hondas son ideales para preparar rellenas. Busque ejemplares duros, brillantes y sin manchas, y que pesen bastante para su tamaño.

INVERNALES

La calabaza almizclera es una de las variedades más comunes en el mercado durante el invierno. Esta calabaza grande con una forma de pera característica, piel dorada y pulpa anaranjada, resulta deliciosa en purés y asados, así como en cremas y guisos, y es un buen sustituto de la calabaza redonda. Las calabazas redondas pequeñas tienen una pulpa más dulce y menos fibrosa que las grandes, cuya mayor utilidad es servir de linterna en Halloween.

CÓMO PREPARAR LAS CALABAZAS

Estas hortalizas tienen una piel gruesa que se suele retirar antes de la cocción. Escoja un cuchillo grande y pesado, y ponga un paño húmedo debajo de la tabla de cortar para que no resbale. Corte una rodaja de la parte inferior de la calabaza para obtener una base plana, y otra de la parte superior. Coloque la calabaza sobre la base y retire la piel con cortes firmes en vertical, en el caso de la calabaza almizclera, o siguiendo la curva, en las variedades redondeadas. A continuación, corte la calabaza por la mitad y retire con una cuchara todas las semillas y fibras. Corte la pulpa en dados o rodajas.

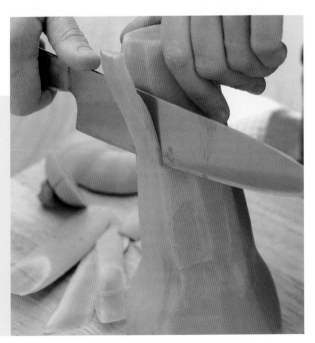

Frutas

Como ocurre con las hortalizas, existe en el mercado una enorme variedad de frutas. Resulta fácil caer en la rutina de comprar siempre las mismas, pero experimentar merece la pena. La fruta es el alimento práctico por excelencia: con la mayoría de las frutas no hay más que lavarlas y ya están listas para comer. Dado que la mayor parte de los nutrientes se halla justo debajo de la piel, siempre que sea posible no pele la fruta y consúmala cruda, pues la cocción afecta al contenido nutritivo. Elíjalas por su calidad y frescura, eso garantiza un mejor sabor, mayor duración y más nutrientes antioxidantes; compre fruta de origen orgánico y en poca cantidad en vez de acumularla en el frutero o el frigorífico.

CÍTRICOS

Con sus llamativos colores, la naranja, el limón, el pomelo, la mandarina y la lima están repletas de las beneficiosas vitaminas C y betacaroteno. Son ingredientes versátiles en la cocina, ya que se prestan tanto a platos dulces como salados. Una vez cortados o pelados, los cítricos deben utilizarse de inmediato, porque el contenido de vitamina C va disminuyendo a partir del primer corte.

LIMÓN
El limón (tanto la piel rallada como el zumo) es un ingrediente esencial en la cocina; un simple chorrito añade chispa a los aliños de ensalada, las hortalizas y las marinadas. La ralladura también alegra platos dulces y salados. El zumo de limón impide que algunas frutas y hortalizas, como el aguacate y la manzana, se ennegrezcan cuando se cortan. Deseche los limones con manchas verdes en la piel; indican que no están maduros.

LIMA
Es más ácida que el limón y se suele utilizar para añadir un toque aromático a platos indios, indonesios y tailandeses.

NARANJA
Entre las variedades populares están la jugosa Jaffa, la de Valencia y la Navel (cuyo nombre, «ombligo» en inglés, se debe a un punto con forma de ombligo situado en el extremo opuesto al pedúnculo). Las naranjas de piel fina suelen ser las más jugosas. La mermelada se prepara con naranja amarga o de Sevilla. La piel y la ralladura añaden un toque aromático a bizcochos, galletas y salsas dulces, así como a platos salados.

CÓMO CORTAR LOS CÍTRICOS

Con un cuchillo de sierra, corte una rodaja de la parte superior y otra de la inferior, de modo que se vea la pulpa.

Retire la piel y la parte blanca del cítrico en espiral, desde arriba y siguiendo la curva de la fruta, o bien poniéndolo de pie y cortando la piel de arriba abajo.

Coloque la fruta en la palma de la mano, encima de un bol. Con un cuchillo pequeño, haga un corte paralelo a la membrana. Separe limpiamente con el cuchillo el gajo de la membrana. Luego, haga otra incisión en la siguiente membrana y separe el gajo con el cuchillo; caerá en el bol.

Siga separando los gajos de la membrana y después exprima bien la membrana. Si no utiliza los gajos de inmediato, cubra el bol con film transparente y métalo en el frigorífico para que la fruta no se oxide ni se amargue con el contacto con el aire.

FRUTAS DE ÁRBOL

Este es seguramente el grupo de frutas más popular, en el que se incluyen de las manzanas más crujientes a los deliciosos melocotones y las jugosas cerezas. Existen cientos de variedades de manzana y, aunque normalmente sólo conocemos algunas clases, muchas tiendas de alimentación empiezan a comercializar variedades menos frecuentes. Hay variedades para cocinar que necesitan azúcar preparadas en compota, pero algunas manzanas de mesa son igualmente aptas y no requieren azúcar.

MELOCOTÓN

La piel de esta preciosa y suculenta fruta presenta colores diversos, entre el dorado y el rojo intenso, y el interior puede ser dorado o blanco. La nectarina es similar, pero no tiene la piel aterciopelada. Compre melocotones y nectarinas un poco duros y deje que maduren en casa. Se magullan fácilmente, por lo que hay que manipularlos con cuidado.

PERA

Como ocurre con las manzanas, algunas variedades son adecuadas para cocinar, mientras que otras es preferible consumirlas crudas. Son mejores a finales de verano y otoño, con la llegada de la nueva cosecha. Algunas variedades muy apreciadas son la Comice, de forma redondeada, la Conference, de piel verde y amarronada, y la William, de piel amarilla.

CEREZAS

Las cerezas rojas, dulces y brillantes, hacen su aparición en las tiendas de alimentación en verano. Existen dos clases: dulces y ácidas. Las segundas son más adecuadas para cocinar.

CIRUELA

Esta popular fruta veraniega puede tener colores y sabores diversos: de la ciruela dulce y jugosa a la ligeramente ácida, más adecuada para utilizar cocida en pasteles y bizcochos.

GROSELLAS

Estas bolitas de vivos colores quedan preciosas como decoración de los postres. Las grosellas negras, blancas y rojas se suelen comercializar en racimos. Para retirarlas del tallo, sepárelas con un tenedor con cuidado. Pueden resultar un poco ácidas, por lo que quizá necesite espolvorearlas con un poco de azúcar. Quedan muy vistosas en ensaladas de fruta, pasteles y puddings, y también pueden utilizarse para preparar gelatinas y mermeladas.

FRUTAS DEL BOSQUE

Suelen alcanzar el punto óptimo en verano, pero en muchos casos se pueden encontrar durante todo el año.

FRESAS

Si están en el grado ideal de madurez (evite las que tengan la punta blanca o verde), necesitan pocos adornos; basta con una simple cucharada de nata líquida o nata agria. Las fresas contienen mucha vitamina C y también son una buena fuente de vitaminas del grupo B.

FRAMBUESAS

Es una fruta frágil y no se conserva durante demasiado tiempo. Para sacar el máximo partido de su textura suave y delicada y su intenso aroma es mejor utilizarla en recetas sencillas.

GROSELLA ESPINOSA

La grosella espinosa es una fruta popular en el norte de Europa, pero poco común en otros lugares del mundo. Entre sus variedades se encuentra una verde y ácida con piel aterciopelada, más adecuada para pasteles, crumbles y mermeladas, y otra más suave y dulce de color morado.

MORAS

Este fruto redondo y jugoso tiene un contenido de azúcar variable. Se suele utilizar para cocinar; resulta deliciosa en puddings fríos, tartas, pasteles y crumbles, y triturada en salsas, que combinan bien con helados y asados con frutos secos.

ARÁNDANOS

Los arándanos maduros son redondos y bastante duros y están recubiertos naturalmente de un polvillo. Son deliciosos crudos, pero también pueden utilizarse en mermeladas y gelatinas, pasteles, tartas, bizcochos y muffins.

UVAS

El color de la uva puede ir del morado al rojo pálido, y del verde vivo a un tono casi blanco. La mayor parte de la cosecha se dedica a la producción de vino; la uva apta para consumo suele ser menos ácida y tener una piel más fina. Es recomendable consumir uva orgánica o lavarla bien antes de comerla. El grano debe ser grande y duro, y estar bien unido al tallo.

MELÓN Y SANDÍA

Cuando compre un melón o una sandía, busque ejemplares que pesen mucho en relación con su tamaño, cedan ante una ligera presión y desprendan un olor agradable en el pedúnculo (es un indicio de que están maduros). Existen muchas variedades, como el Honeydew, de piel amarilla, y el cantalupo, de interior naranja. La sandía, muy baja en calorías por su alto contenido de agua, es un postre refrescante. No compre fruta cortada; contiene menos vitaminas.

FRUTAS TROPICALES

En este exótico grupo se incluye desde el popular plátano hasta frutas menos habituales, como la papaya.

PLÁTANO

Por su alto contenido de almidón, el plátano aporta mucha energía, además de fibra, vitaminas y minerales. Esta fruta suave y cremosa puede prepararse entera al horno, congelarse para consumirse a modo de helado rápido y triturarse para preparar batidos y bizcochos. Los plátanos con manchas verdes pueden madurar a temperatura ambiente, pero no es recomendable comprarlos muy verdes, porque raramente maduran del todo.

PIÑA

La piña tiene una pulpa dulce y jugosa. Escoja ejemplares con hojas frescas, verdes y puntiagudas, que pesen mucho en relación con su tamaño y se noten ligeramente tiernos al presionarlos con los dedos. La fruta está madura cuando se puede arrancar una hoja sin necesidad de tirar de ella. La piña es especialmente beneficiosa para el aparato digestivo.

MANGO

El mango tiene una pulpa jugosa y muy aromática que puede utilizarse en una gran variedad de platos dulces y salados, batidos, helados y purés, así como salsas y ensaladas. El color de la piel puede ser verde, amarillo, naranja o rojo. Un mango de piel absolutamente verde es probable que no esté maduro, aunque en Asia se suelen añadir mangos verdes en rodajas a las ensaladas.

PAPAYA

Una vez madura, esta fruta de forma algo similar a la pera tiene una piel amarilla con pintitas, una pulpa de un naranja rosado vivo y un aroma increíblemente intenso. Sus numerosas semillas son comestibles, y secas tienen un sabor picante. Es mejor comer la papaya cruda, aunque los ejemplares verdes, todavía sin madurar, pueden utilizarse en la cocina.

KIWI

El kiwi es muy rico en vitamina C. La pulpa triturada se puede utilizar para preparar refrescantes sorbetes y helados. Corte el kiwi por la mitad y extraiga con una cuchara la pulpa verde y las pequeñas semillas negras. Puede consumirse en ensaladas de fruta y constituye un saludable tentempié.

MARACUYÁ

El maracuyá no tiene un aspecto muy apetitoso a causa de su piel oscura y arrugada, pero en su interior oculta una aromática combinación de pulpa dorada y semillas negras comestibles que invitan a probarlo de inmediato.

Cereales

Los cereales más conocidos son el arroz, el trigo y la avena, pero este es un grupo de alimentos muy amplio y, además, cada cereal se encuentra en varias presentaciones: del producto en grano a la harina. Son el ingrediente básico de la alimentación de muchas personas y además son muy nutritivos; tienen un alto contenido de hidratos de carbono complejos y también contienen proteínas, fibra, vitaminas y minerales, y poca grasa. Los productos no refinados, como el pan y la pasta integrales, son más recomendables porque la refinación reduce el valor nutritivo. Económicos, versátiles y fáciles de encontrar, son indispensables en la despensa.

Para garantizar la frescura de cereales y derivados, cómprelos en tiendas que renueven con frecuencia sus existencias. Y para que no se humedezcan ni se pongan rancios, guárdelos en recipientes herméticos, en un lugar fresco, seco y resguardado de la luz.

TRIGO
Es el cereal que más se consume en Occidente y se comercializa en varias presentaciones.

HARINA
Se obtiene moliendo el grano de trigo y puede ser integral o blanca, según el grado de refinado. La harina fuerte es rica en gluten y es perfecta para el pan, mientras que la blanda contiene menos gluten y más almidón, y se usa en bizcochos y pastelería. La harina de trigo duro se muele a partir de una de las variedades de trigo más duras y se utiliza para hacer pasta.

OTRAS PRESENTACIONES
También se pueden comprar granos de trigo enteros y machacados, salvado, copos, bulgur, sémola, brotes de trigo y cuscús. Este último, pese a parecer un cereal, es una pasta elaborada con trigo duro machacado cocido al vapor y seco.

ARROZ
Casi todas las culturas del mundo cuentan con especialidades propias de arroces, de la paella al biryani indio.

ARROZ DE GRANO LARGO E INTEGRAL
El arroz de grano largo es la variedad de arroz más usada; el arroz integral tiene sabor a nuez y una textura más gomosa que el blanco, que contiene menos fibra y nutrientes.

BASMATI
El basmati, blanco o integral, es un arroz de grano largo y fino que se deja madurar un año tras la cosecha. Se usa mucho en platos indios y, por su textura ligera y esponjosa, en ensaladas.

ARROZ TAILANDÉS Y JAPONÉS
El arroz tailandés o jazmín tiene una textura blanda y glutinosa y un sabor suave y perfumado, lo que explica su otro nombre: arroz aromático. El arroz japonés, también suave y glutinoso, se mezcla con vinagre de arroz para hacer sushi.

ARBORIO, CARNAROLI Y DE VALENCIA

Los arroces arborio y carnaroli son variedades clásicas para risotto. El grano corto y redondeado absorbe una cantidad de agua cinco veces mayor que su peso, con lo que se obtiene una textura cremosa. La variedad de Valencia, que se utiliza en la paella, también es de grano corto, pero contiene menos almidón.

OTRAS VARIEDADES

En cuanto a otras variedades de arroz, se puede citar el arroz salvaje, de grano alargado, fino y negro, aunque en realidad no se trata de un cereal, sino de una hierba acuática.

CONSERVACIÓN Y USO DEL ARROZ COCIDO

El arroz cocido sobrante se puede guardar, una vez frío, en un recipiente hermético en el frigorífico. Si se va a tomar frío en ensalada, consúmase en el mismo día. Si se consume caliente, debe calentarse bien: en el microondas hasta que humee o bien en una cazuela con agua hirviendo, durante 1 minuto, o también al vapor. El arroz cocido puede verse contaminado por la bacteria *Bacillus cereus*, que causa trastornos digestivos, si no se consume en un plazo de dos días.

OTROS CEREALES
AVENA

Al igual que el centeno, la avena es un cereal popular en el norte de Europa. Los copos de avena se utilizan para preparar gachas y muesli, mientras que la harina de avena, gruesa o fina, es más adecuada para las galletas y el pan. A este cereal se le atribuye la capacidad de reducir el colesterol en la sangre.

MAÍZ

Existen variedades de maíz amarillo, azul, rojo e incluso negro, pero la más conocida es la amarilla, que se emplea para elaborar harina de maíz o polenta, fécula de maíz y palomitas.

CENTENO

La harina de centeno se utiliza mucho en la elaboración de panes oscuros y densos, sobre todo en Europa del Este, Rusia y los países escandinavos. El grano, de sabor intenso, también se puede añadir a platos salados.

QUINUA

Este nutritivo cereal es uno de los pocos vegetales que es una proteína completa: contiene los ocho aminoácidos esenciales. Sus granos redondos tienen un sabor suave y algo amargo, y se usan en tabulés, rellenos, asados, pilafs y desayunos.

MIJO

No es un cereal muy usado, aunque es muy nutritivo: contiene más hierro que la mayoría de los cereales y también es una buena fuente de zinc. Tiene forma de bolita y un sabor suave, por lo que resulta un acompañamiento perfecto de guisos y platos al curry, y puede emplearse también en pilafs, tabulés, arroces con leche y gachas. No contiene gluten.

CEBADA

La cebada perlada, la variedad de cebada más común, adquiere su color marfil cuando se cuece al vapor y se pule. La cebada mondada es el grano entero y su cocción es mucho más lenta que la de la cebada perlada. Ambas variedades son adecuadas para las gachas y pueden añadirse a guisos, asados y sopas.

Legumbres

Las lentejas, las judías, los garbanzos y los guisantes son legumbres, unos alimentos muy ricos en proteínas, hidratos de carbono complejos, vitaminas, minerales y fibra, pero bajos en grasas. Gracias a su versatilidad y su capacidad para absorber los sabores de los alimentos, sirven de base de muchos platos. Se conservan hasta un año, si bien se endurecen con el tiempo. Cómprelas en tiendas que renueven con frecuencia las existencias y compruebe que su color sea intenso y no estén arrugadas ni polvorientas. Guárdelas en un recipiente hermético y en un lugar fresco, y lávelas antes de utilizarlas. No las cueza en agua con sal porque no se ablandarían; sazónelas una vez cocidas.

LENTEJAS

A diferencia de la mayoría de las legumbres, las lentejas se cuecen rápidamente sin necesidad de ponerlas en remojo. Se venden secas o en conserva y se usan en guisos, sopas, hamburguesas y asados.

LENTEJAS VERDES

Se parecen a las lentejas pardinas, pero son un poco más suaves y pueden cocerse y mezclarse con hierbas aromáticas para preparar una nutritiva crema para untar. Las lentejas de Puy, pequeñas, oscuras y de un verde grisáceo, se cultivan en Francia y se consideran superiores a otras variedades. Tardan de 25 a 30 minutos en cocerse, pero no pierden su forma redondeada. Son deliciosas en ensaladas tibias con una vinagreta y también aportan sustancia a los guisos.

GUISANTES SECOS

A diferencia de las lentejas, los guisantes jóvenes son tiernos y tienen que secarse. Se venden enteros o partidos; los segundos son más dulces y se cuecen más rápido.

LENTEJAS ROJAS PARTIDAS

Las lentejas rojas son, en realidad, de color anaranjado, y como están «partidas», pueden cocerse en unos 20 minutos, momento en que se deshacen y forman un puré espeso. Son perfectas para espesar las sopas y los guisos y se utilizan también en el dahl, un plato picante indio.

LENTEJAS PARDINAS

Estas lentejas redondeadas tienen una textura y sabor fuertes. Se venden enteras, tardan más en cocerse que las lentejas rojas (unos 45 minutos) y añaden sustancia a guisos, rellenos y sopas.

GUISANTES AMARILLOS Y VERDES

Los guisantes amarillos y verdes partidos pueden sustituir a las lentejas rojas partidas y son perfectos para sopas, guisos, purés y dahls, si bien tardan un poco más en cocerse.

GUISANTES MARROWFAT

Los guisantes Marrowfat son más grandes y se utilizan en Gran Bretaña, para hacer un típico puré. Antes de cocerlos, hay que dejarlos en remojo toda la noche.

JUDÍAS

Las judías son un ingrediente muy versátil: se presta a pasteles, asados, guisos, sopas, patés, salsas, hamburguesas, ensaladas, etc. En muchos países se sirven incluso como guarnición. Si no tiene tiempo de dejarlas en remojo (suelen necesitar una noche), las judías en conserva son igual de buenas y muy prácticas. Simplemente escúrralas y lávelas antes de utilizarlas.

FLAGEOLET Y BORLOTTI

La judía Flageolet, de color verde pálido, tiene un sabor fresco y delicado, y una consistencia blanda, mientras que la sustanciosa judía Borlotti es de color marrón rosáceo, dulce y tierna, y se suele utilizar para preparar sopas italianas de judías y pasta.

JUDÍAS BLANCAS CANNELLINI

Estas judías blancas con forma de riñón adquieren una consistencia blanda y cremosa una vez cocidas. Resultan deliciosas servidas tibias en ensaladas o trituradas, como alternativa sabrosa y nutritiva al puré de patatas.

JUDÍAS ROJAS (FRÍJOLES)

Estas judías tienen una textura blanda y carnosa, y conservan su color y su forma una vez cocidas. Son un ingrediente básico de la cocina mexicana, imprescindibles para preparar un buen chile.

JUDIÓN Y JUDÍA DE LIMA

El judión y la judía de lima tienen un sabor y un aspecto parecidos. Son judías de color crema y forma arriñonada con una consistencia blanda y harinosa.

JUDÍAS BLANCAS NAVY

Esta judía de color marfil se encuentra sobre todo en conserva con tomate, pero también sirve para guisos y sopas.

OTRAS LEGUMBRES

GARBANZOS

Los garbanzos tienen un sabor almendrado y una textura cremosa. En India, también se usa la harina de garbanzo.

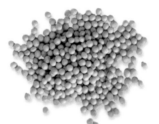

GRANOS DE SOJA

El versátil grano de soja tiene todas las propiedades nutritivas de los productos animales, pero ninguno de sus inconvenientes. Su color va del amarillo cremoso a un marrón muy oscuro y son un ingrediente saludable para añadir a sopas, guisos y asados. Los granos de soja secos son muy densos y tienen que dejarse en remojo durante 12 horas antes de la cocción.

También se elaboran con granos de soja el tofu, el tempeh, la soja texturizada sustitutiva de la carne, la harina, la leche de soja, la salsa de soja y el miso, además de otras salsas, como la salsa de judías negras, la salsa de granos de soja fermentados y la salsa Hoisin.

LA COCCIÓN DE LAS LEGUMBRES

Después de haber tenido las legumbres en remojo, hay que escurrirlas y aclararlas con agua limpia. Las que floten durante el remojo deben desecharse. Tienen que cocerse con agua abundante: 1,25 litros de agua fría por cada 450 g de legumbres. Lleve el agua a ebullición a fuego vivo y cueza las legumbres durante 10 minutos. Reduzca el fuego y prolongue la cocción hasta que las legumbres estén tiernas pero sin que lleguen a deshacerse; pueden tardar entre 30 minutos y 2 horas, según la variedad y la antigüedad. Las legumbres siempre deben quedar sumergidas en el agua; añada más agua hirviendo si es necesario, de modo que quede 1 cm de agua por encima (el agua de la cocción puede utilizarse como caldo de verduras). Las legumbres distintas deben ponerse en remojo y cocerse por separado, porque el tiempo de cocción es diferente. No olvide añadir sal hacia el final de la cocción.

Productos lácteos

Los lácteos son una valiosa fuente de proteínas para los vegetarianos y además contienen calcio y vitaminas D y B, incluida la B12. Muchos tienen también un alto contenido graso y por tanto deben consumirse con moderación o sustituirse por sus variantes desnatadas. Quienes no consumen lácteos pueden escoger entre una cantidad cada vez mayor de productos sustitutivos con propiedades culinarias similares.

LECHE, NATA LÍQUIDA Y YOGUR

YOGUR

El contenido graso del yogur oscila entre el 0,5 g de grasa por 100 g y los 10 g de grasa por 100 g, en el caso del yogur espeso de estilo griego. Aunque este último tiene más grasa que la mayoría de los yogures, sigue siendo menos graso que la nata y es un sustituto útil porque, a diferencia de las variedades de nata desnatadas, no se corta. Los yogures bio se fermentan con bacterias beneficiosas para el organismo que ayudan a la digestión y tienen un sabor suave y cremoso.

LECHE

La leche de vaca es uno de los ingredientes más universales. Hoy en día la leche entera se vende mucho menos que la desnatada y semidesnatada, que no son inferiores desde el punto de vista nutricional. También se puede encontrar con facilidad leche orgánica de vacas a las que no se les ha administrado pesticidas ni hormonas. Las personas con intolerancia a la leche de vaca pueden tomar leche de cabra o de oveja, con propiedades nutritivas similares pero más fáciles de digerir.

NATA LÍQUIDA

El contenido graso de la nata líquida varía enormemente, desde el 12% de la nata semidesnatada al goloso 55% de la nata cuajada. La crème fraîche es una nata densa con un contenido graso del 35%, pero también existen versiones desnatadas (con un 10% de grasa). Con una cucharada se puede añadir un delicioso toque cremoso a una salsa o unas frutas frescas (por ejemplo, unas fresas). La nata agria está tratada con ácido láctico, lo que aporta su acidez característica. Contiene un 20% de grasa, aunque también se pueden encontrar variantes desnatadas. Si se va a hervir, hay que tener cuidado de que no se corte.

ALTERNATIVAS A LOS LÁCTEOS

Los veganos en particular deben llevar una alimentación que incluya las proteínas, los minerales y las vitaminas que se encuentran en los lácteos. La mejor fuente es la soja. El tofu o queso de soja se elabora con granos de soja cocidos y es una proteína no animal excelente y sin colesterol. Además de ser una gran fuente de calcio, contiene vitamina E, manganeso, fósforo y hierro. También se puede encontrar leche, nata y yogur elaborados con granos de soja secos.

Además, los sustitutos de la leche y el queso hechos con avena, arroz y frutos secos tienen propiedades nutricionales similares a las de la leche de vaca. Asimismo se venden en el mercado margarinas 100% vegetales.

QUESOS FRESCOS

Los quesos jóvenes no curados no suelen contener cuajo y tienen un sabor suave y ligero.

REQUESÓN

El requesón es un queso fresco blando que se puede encontrar en diversas presentaciones. Es uno de los quesos frescos más populares y contiene menos grasa (entre el 2 y el 5%) que la mayoría de los quesos.

QUESO FRESCO (FROMAGE FRAIS)

Este es un queso fresco de textura homogénea igual que la del yogur espeso, pero menos ácido. El contenido graso oscila entre lo insignificante y el 8%. Tiene los mismos usos que el yogur.

RICOTTA

Este queso de oveja o vaca tiene una textura ligeramente granulada y un sabor suave apto para platos dulces y salados.

QUESO CREMA Y QUARK

El queso crema tiene una textura densa y aterciopelada, mientras que el quark es un queso fresco desnatado. Ambos son ideales para preparar pasteles de queso y salsas, o para untar.

QUESOS BLANDOS

BRIE Y CAMEMBERT

Estos quesos frescos y blandos de leche de vaca se elaboran principalmente en Francia. Una vez maduros, tienen una apetitosa textura mantecosa que se deshace en la boca. El camembert suele ser más fuerte que el brie, que alcanza su punto óptimo servido a temperatura ambiente.

OTROS QUESOS BLANDOS Y CURADOS

La siguiente lista es una pequeña muestra de otros quesos blandos y curados fáciles de encontrar en variantes vegetarianas sin cuajo.

MOZZARELLA

La mozzarella tiene una textura delicada y sedosa, y se funde muy bien, por lo que se utiliza en pizzas y platos al horno. Se suele elaborar con leche de vaca, aunque la variedad tradicional se hace con leche de búfala.

HALLOUMI

El halloumi se ha considerado la alternativa vegetariana al beicon. Tiene una textura dura y correosa, y un sabor salado. Para comerlo, se corta en rodajas y se calienta al grill o a la plancha.

FETA

Es un queso duro pero que se desmenuza fácilmente y se usa en la clásica ensalada griega. Antes se hacía con leche de cabra o de oveja, pero actualmente se suele usar leche de vaca. Para quitarle la sal, se puede dejar en remojo con agua 10 minutos.

CHEDDAR

El queso cheddar es muy popular entre los ingleses, pero su calidad es muy variable. Busque cheddar curado o tradicional, de entre 9 y 24 meses y un sabor intenso, casi almendrado.

Frutos secos y semillas

Los frutos secos y las semillas son algo más que un aperitivo práctico: se pueden añadir a platos vegetarianos dulces y salados. Es preferible comprarlos en pequeñas cantidades en tiendas que renueven existencias con frecuencia porque pueden ponerse rancios, sobre todo las variedades con cáscara. Dentro de un recipiente hermético y en un lugar fresco y resguardado de la luz se conservan hasta tres meses.

FRUTOS SECOS

Todos los frutos secos crecen en los árboles, a excepción de los cacahuetes, que se desarrollan bajo tierra. Contienen bastantes grasas, aunque saludables, del tipo omega-6, y también aportan otros nutrientes, como proteínas, vitaminas B, hierro, selenio, vitamina E y zinc. Se pueden comprar enteros, con o sin cáscara, blanqueados, en copos, picados, molidos o tostados.

ANACARDOS

Siempre se venden sin su dura cáscara y son menos grasos que la mayoría de los frutos secos. Su sabor cremoso se presta a asados y mantequillas enriquecidas con frutos secos, y aportan un toque crujiente a las recetas con fideos y a las ensaladas.

AVELLANAS

La versátil avellana se vende entera, sin cáscara, picada y molida, y resulta especialmente apetitosa tostada. Se utiliza igualmente en platos dulces y salados.

NUECES DEL BRASIL

Las nueces del Brasil tienen un sabor dulce que recuerda a la leche y son especialmente ricas en ácidos grasos esenciales omega-6. Se suelen utilizar en cereales para el desayuno de tipo muesli y en postres.

CASTAÑAS

Las castañas cocidas o asadas tienen un sabor delicioso y una textura harinosa. Añaden sustancia a rellenos, asados y pasteles. El puré dulce de castañas se utiliza para postres.

NUECES DE MACADAMIA

Las nueces de Macadamia tienen un sabor cremoso e intenso, y un contenido graso increíblemente elevado. Se suele vender el fruto redondo sin cáscara porque es muy difícil de cascar.

PIÑONES

El piñón, fundamental para la salsa pesto, es un fruto muy pequeño de color crema con un sabor intenso y cremoso, que se refuerza al tostarlo. Cómprelo en pequeñas cantidades, porque al ser muy graso se pone rancio con facilidad.

ALMENDRAS

Existen dos tipos de almendras: amargas y dulces. No es recomendable comer las amargas crudas, pero se usan para elaborar aceites aromáticos y esencias. En cuanto a las dulces, es preferible comprarlas con piel. Para pelarlas, se pueden escaldar unos minutos. También se pueden comprar ya blanqueadas, en copos, tostadas y molidas. En todas sus modalidades, aportan sabor a bizcochos, postres y algunos platos salados.

NUECES

Cuando son jóvenes el fruto es fresco y lechoso. Normalmente se venden secas (sin cáscara, picadas o molidas), cuando el fruto adquiere un sabor ligeramente amargo.

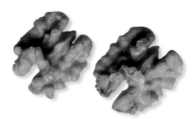

COCO

El coco tiene un alto contenido en grasas saturadas, así que es preferible consumirlo con moderación. La leche y la crema de coco añaden un sustancioso toque cremoso a salsas, platos al curry, batidos, postres y sopas. La pulpa, blanca y densa, también se comercializa desecada o en copos.

SEMILLAS

Las semillas tienen un gran valor nutritivo. Son una buena fuente de la antioxidante vitamina E y de hierro, así como de los ácidos grasos esenciales omega-6, que contribuyen a la reducción del colesterol en el organismo. Y todo en una pequeña y modesta semilla.

SEMILLAS DE SÉSAMO

Estas pequeñas semillas pueden ser blancas o negras y se utilizan en la elaboración de una sorprendente cantidad de productos: molidas y en forma de pasta espesa, se utilizan en la tahina; son la base del hummus y del dulce halva, y también sirven para elaborar un aceite tostado y consistente. Su sabor es aún mejor si se tuestan sin aceite en una sartén. Se pueden añadir a ensaladas, recetas con fideos, asados, bizcochos y panes.

PIPAS DE GIRASOL

Las pipas de girasol también tienen mejor sabor tostadas, pero hay que tener cuidado de que no se quemen para que no se vea alterado su valor nutritivo. Estas semillas en forma de lágrima tienen usos similares a las de sésamo y son un ingrediente saludable para añadir a ensaladas, cereales de desayuno y galletas.

PIPAS DE CALABAZA

La pipa de calabaza es uno de los pocos alimentos de origen vegetal que contiene ácidos grasos esenciales omega-3 y omega-6 y también es más rica en hierro que otras semillas. Se puede consumir como aperitivo nutritivo o emplearse como las demás semillas.

SEMILLAS DE AMAPOLA

La pequeña semilla de amapola, de color negro, aporta un toque decorativo y crujiente a panes y bizcochos. En Alemania y Europa del Este, se utilizan en bollos, strudels y tartas.

SEMILLAS DE LINO

Estas pequeñas semillas de color dorado, conocidas desde hace tiempo por su aceite, empleado para pulir la madera, reciben el nombre de linaza. Son una de las pocas fuentes vegetales de ácidos grasos esenciales omega-3 y pueden añadirse a cereales de desayuno y ensaladas, o mezclarse con la masa de panes y bollos.

CÓMO TOSTAR FRUTOS SECOS Y SEMILLAS

Para retirar la fina cáscara de las avellanas y las almendras, sencillamente póngalas en una bandeja del horno, precalentado previamente a 180°C, y hornéelas de 5 a 10 minutos. Sáquelas del horno y, cuando se enfríen, retire las pieles con un paño limpio.

Las semillas y los frutos secos, como las almendras enteras o picadas, también se tuestan para que tengan un sabor más agradable. Las cantidades pequeñas de semillas pueden tostarse en una sartén sin aceite hasta que cambien de color, pero para cantidades mayores, disponga las semillas o los frutos secos en una bandeja del horno, en una sola capa, y tuéstelas en el horno precalentado a 180°C entre 5 y 7 minutos.

Hierbas aromáticas y especias

Las hierbas aromáticas y las especias, muy apreciadas desde hace miles de años, pueden animar hasta el plato más sencillo. Estos ingredientes de valor inestimable en la cocina vegetariana potencian el aroma y el sabor de platos dulces y salados, y tienen además una influencia positiva en el aparato digestivo. Aunque esta sección está dedicada básicamente a las hierbas frescas, las hierbas secas también resultan muy útiles, sobre todo en invierno, cuando algunas hierbas frescas son difíciles de encontrar.

HIERBAS AROMÁTICAS

Hoy en día las hierbas frescas se venden sueltas, en frascos o envases de plástico. En este último caso, se puede alargar su duración sacando las hierbas del envase y sumergiendo los tallos en un recipiente con agua. Cúbralo con una bolsa de plástico y ciérrelo con una goma; así se conservarán hasta una semana.

ALBAHACA

Esta popular hierba fresca se utiliza mucho en platos italianos, sobre todo en el pesto. La variedad morada se emplea en la cocina tailandesa. Para que no se estropeen sus frágiles hojas, desmenúcelas con la mano, en vez de cortarlas con un cuchillo. La albahaca seca tiene menos sabor y no es recomendable.

CILANTRO

Es un ingrediente muy utilizado en la cocina tailandesa. Su sabor especiado también enriquece los platos indios. La raíz es comestible y puede molerse y añadirse a salsas indias y tailandesas.

MENTA

Existen muchas variedades: las más populares son la menta piperita y la menta verde. Se puede mezclar con yogur natural para preparar raita, un acompañamiento refrescante de los platos al curry, tomar en infusión o añadirse a una ensalada aromática, el tabulé.

ENELDO

Sus hojas, con forma de pluma, se emplean como hierba aromática, mientras que las semillas se obtienen de las flores maduras.

ESTRAGÓN

El estragón es popular en la cocina francesa y combina bien con las recetas con huevos y quesos.

CEBOLLINO

El cebollino forma parte de la familia de las cebollas, pero tiene un sabor más suave, por lo que se emplea espolvoreado sobre ensaladas y para decorar platos de huevos y tomate.

LAUREL

Sus hermosas hojas brillantes aportan un matiz intenso y especiado a caldos y guisos.

ORÉGANO

El orégano es una de las pocas hierbas frescas que resulta igualmente deliciosa seca. Próximo a la mejorana, pero con un sabor más fuerte, complementa especialmente bien las recetas con tomate. El orégano y el tomillo funcionan muy bien en las marinadas y casi siempre se pueden sustituir uno por el otro.

PEREJIL

El perejil común y el rizado son dos hierbas aromáticas que se pueden encontrar fácilmente en las tiendas de alimentación. El perejil común, de aspecto parecido al cilantro, es más adecuado que el rizado para los platos que requieren cocción.

SALVIA, ROMERO Y TOMILLO

La salvia tiene un sabor acre, pero funciona bien en asados con frutos secos, platos al horno y guisos. El romero tiene un aroma intenso y funciona sobre todo en sopas y guisos sustanciosos. El tomillo tiene un pronunciado aroma a limón.

ESPECIAS

Las especias (que pueden ser semillas, frutos, vainas, cortezas o capullos de plantas) deben adquirirse en pequeñas cantidades y en tiendas que renueven regularmente sus existencias. El aroma indica si son frescas; es menos intenso si son viejas. Guárdelas en recipientes herméticos y protegidas de la luz directa del sol.

JENGIBRE

El jengibre seco tiene un sabor cálido que recuerda bastante a la pimienta y difiere considerablemente del de la raíz fresca. Se usa para aromatizar bizcochos, panes y galletas, pero también se añade a platos al curry, guisos y sopas.

CARDAMOMO

Acre, cálido y aromático, la especia conocida como cardamomo se obtiene de varias plantas. Se vende molido o en vaina.

COMINO Y CILANTRO

El comino, un ingrediente fundamental de la cocina de Oriente Medio, el norte de África y la India, se comercializa molido o con la semilla entera. El comino negro o ajenuz tiene un sabor más dulce y suave que el de las semillas marrones. El cilantro molido tiene prácticamente los mismos usos que el comino, aunque las semillas enteras de color marfil se suelen utilizar para aderezar las conservas en vinagre, así como en platos al curry y tajines.

CANELA, NUEZ MOSCADA Y CLAVO

Estas tres especias tienen un espléndido sabor cálido y se suelen usar juntas en bizcochos, puddings y galletas. La canela en rama se emplea para aromatizar platos al curry, pilafs y compotas de fruta.

AZAFRÁN

El azafrán es la especia más cara del mundo. Elaborada con los estigmas secos de *Crocus sativus*, sólo se necesita una pequeña cantidad para añadir un sabor característico y un color dorado a la paella, los puddings de leche y a guisos diversos.

PIMIENTA

La pimienta es, sin lugar a dudas, la especia más utilizada y puede presentar muchos colores distintos: negro, blanco, rosa y verde. Es una especia que no sólo aporta su sabor característico a los platos, sino que potencia los de los demás ingredientes.

CAYENA Y PIMENTÓN

La cayena es una especia muy picante que añade color y sabor a platos al curry, sopas y guisos. El pimentón es más suave y puede utilizarse más generosamente. Ambos favorecen la circulación sanguínea.

VAINILLA

Las vainas de vainilla aportan un sabor fragante, dulce y suave y un intenso aroma. Se suelen utilizar en platos dulces.

CÓMO CONGELAR LAS HIERBAS AROMÁTICAS

Las hierbas tienen que estar en un estado óptimo antes de congelarse; las hierbas pasadas, estropeadas o contaminadas no mejoran una vez congeladas.

Lave bien las hierbas y sacúdalas para eliminar la humedad. Póngalas sobre papel de cocina para que se acaben de secar, páselas a una bandeja en una sola capa y congélelas. Una vez congeladas, introdúzcalas en bolsitas o recipientes y guárdelas en el congelador.

También puede picar las hierbas lavadas una vez secas (si no lo están se marchitarán) y ponerlas en una cubitera; llénela hasta la mitad. Añada agua y métala en el congelador. Estos cubitos de hierbas sirven de condimento instantáneo para guisos, sopas y cazuelas.

Empezar a cocinar

Aunque la mayoría de las hortalizas se pueden comer crudas, existen muchas técnicas culinarias con las que añadir interés y variedad a las recetas vegetarianas. El objetivo es potenciar sabores, colores y texturas, a la vez que se conservan en la medida de lo posible las vitaminas y otros nutrientes de los alimentos. Dado que las hortalizas son un ingrediente fundamental de la alimentación vegetariana, merece la pena prestar atención a las técnicas de preparación más adecuadas en cada caso.

ALIMENTOS FRESCOS

Cuanto más frescos son los ingredientes mayor valor nutritivo tienen. Deseche las hortalizas viejas o pochas y no conserve ningún ingrediente durante mucho tiempo en casa. Es mucho mejor comprar ingredientes frescos sueltos cuando los necesite. Si es posible, escoja alimentos orgánicos antes que envasados, que habrán perdido algunas vitaminas y sabor. Siempre que sea posible, no pele las hortalizas, porque muchos nutrientes se encuentran en la piel o justo debajo de ella (la piel se puede aprovechar para hacer caldo). Lave y cepille todos los ingredientes, pero no los deje en remojo, porque los nutrientes solubles se perderán. Tampoco corte las hortalizas con demasiada antelación, porque algunas vitaminas, como la C, se pierden cuando la superficie cortada se expone al aire.

derecha *Para que el brécol conserve su color, cuézalo con la cazuela destapada.*

HERVIR

El método tradicional de preparar las hortalizas es hervirlas en agua abundante con sal en una cazuela destapada. Es una técnica especialmente adecuada para el maíz, las patatas y otras raíces. En el caso de las verduras, es preferible cocerlas al vapor pero, si decide hervirlas, no tape la cazuela porque perderían su hermoso color verde vivo. Por otra parte, escoja una cazuela suficientemente grande para la cantidad de hortalizas que vaya a preparar, de modo que pueda circular el agua, pero use la menor cantidad de agua posible. Hierva las hortalizas el tiempo justo y escúrralas de inmediato, ya que el proceso destruye las vitaminas solubles, como la vitamina B y la C. Otros nutrientes solubles pasan al líquido de cocción, de manera que es buena idea habituarse a guardarlo y utilizarlo como base de sopas y salsas.

ESCALFAR

Una técnica menos agresiva para cocer las hortalizas más delicadas consiste en introducirlas en un líquido hirviendo (agua, caldo, vino o leche) y cocerlas a fuego lento para que conserven su sabor, textura y forma.

FREÍR

Freír con mucho aceite ya no es tan habitual como hace años, debido a la preocupación social por las grasas que se incluyen en la alimentación. En realidad, si la temperatura de cocción es correcta, los alimentos fritos se sellan rápidamente y absorben menos aceite que si se fríen con poco aceite. Si se rebozan las hortalizas con una masa o huevo y pan rallado, se forma una capa crujiente que también reduce la absorción de aceite. Esta es una técnica tradicional para preparar las patatas (las clásicas patatas fritas) y también funciona bien con las berenjenas y los calabacines. Preparar las hortalizas a la plancha, en una sartén o en una parrilla plana o con relieve es una alternativa más sana y puede aplicarse a algunas hortalizas, así como al halloumi.

COCER AL VAPOR

Con esta técnica las hortalizas tienen menos contacto con el agua, quedan crujientes y conservan más valor nutritivo que si se hierven. Además, hay hortalizas (tirabeques, puerros y calabacines) que hervidas quedan mustias y poco apetitosas. Las patatas nuevas al vapor son deliciosas; ponga unas hojas de menta debajo de las patatas durante la cocción para aromatizarlas.

TIEMPOS DE COCCIÓN

Para conservar el máximo valor nutritivo, merece la pena cocer las hortalizas durante el menor tiempo posible. Córtelas en trozos del mismo tamaño para que queden bonitas y se cuezan uniformemente. Las patatas tienen que quedar bien cocidas pero, en el caso de otras raíces, como las zanahorias, es mejor servirlas un poco enteras; hiérvalas menos tiempo o cuézalas al vapor y así disfrutará del toque crujiente. En el caso de las hortalizas con un alto contenido de agua, como las espinacas, el apio o los brotes de soja, sólo hace falta escaldarlas con agua hirviendo durante 30 segundos.

Para freír y saltear, el aceite debe estar suficientemente caliente antes de añadir las hortalizas. Y si no dispone de mucho tiempo, prepárelas en el microondas; se requiere menos líquido o grasa y los tiempos de cocción son inferiores a los de la cocina convencional.

abajo *Para rehogar las hortalizas, dórelas. A continuación, añada un poco de agua y cuézalas a fuego lento.*

REHOGAR

Para esta técnica se necesita solamente un poco de agua y la cazuela se tapa. La cocción, a fuego muy lento, se prolonga durante bastante más que con otros procedimientos. Se puede empezar dorando los ingredientes con un poco de aceite o mantequilla, después se añade agua u otro líquido y se tapa la cazuela. La pequeña cantidad de líquido que queda al final de la cocción es dulce y aromática; si las hortalizas se sirven en su jugo, se pierde menos contenido nutritivo. Son hortalizas adecuadas para esta técnica las cebollas, los nabos, los puerros, la achicoria, el apio y el hinojo, así como la col lombarda.

izquierda *Las hortali-zas se pueden asar en el horno, aromatizadas con aceite de oliva y hierbas.*

abajo *Para sofreír las hortalizas, fríalas a fue-go lento en una sartén sin tapar, con sólo un poco de aceite de oliva.*

SALTEAR

Esta técnica consiste en freír con poco aceite a fuego muy vivo. Las hortalizas salteadas conservan mucho más su valor nutritivo, sabor, textura y color. Generalmente, las hortalizas se cortan en trozos finos y se remueven rápidamente en un wok caliente para que la cocción sea rápida y uniforme. Es frecuente saltear las mazorquitas de maíz, los tirabeques, los pimientos, los brotes de soja y de bambú, pero la técnica funciona igual de bien con la coliflor, las coles de Bruselas, la col y la zanahoria, siempre cor-tadas en trozos pequeños.

ASAR

Tradicionalmente, las hortalizas se asaban en la grasa que des-prendía un trozo de carne. Una opción vegetariana mucho más sana es rociarlas con un poco de aceite de oliva y asarlas en una bandeja del horno, aromatizadas con ajo y hierbas, si lo desea. El resultado es delicioso con la calabaza, las chirivías, las cebollas, los tomates, los espárragos e incluso la remolacha; los sabores se concentran y se acentúa la dulzura natural.

Las patatas, las cebollas y el ajo pueden asarse al horno con piel y sin aceite, mientras que otras hortalizas más tiernas, como los pimientos y los tomates, pueden rellenarse de arroz u otros ingredientes o asarse envueltos en papel de aluminio.

SOFREÍR Y HACER SUDAR

Estas técnicas requieren menos aceite que la fritura tradicio-nal y son procesos más largos y lentos que el salteado. Para sofreír se utiliza la sartén destapada, mientras que para hacer sudar las hortalizas se cuecen en una cazuela o una sartén tapada para que el agua de los ingredientes no se evapore. Las cebollas se suelen hacer sudar para que no se doren.

AL GRILL O A LA BARBACOA

El calor intenso de un grill o del carbón no es adecuado para hortalizas delicadas o densas, pero es excelente para otras más blandas, como las cebollas, el maíz, las berenjenas y los tomates. Antes de asar las hortalizas hay que untarlas con aceite.

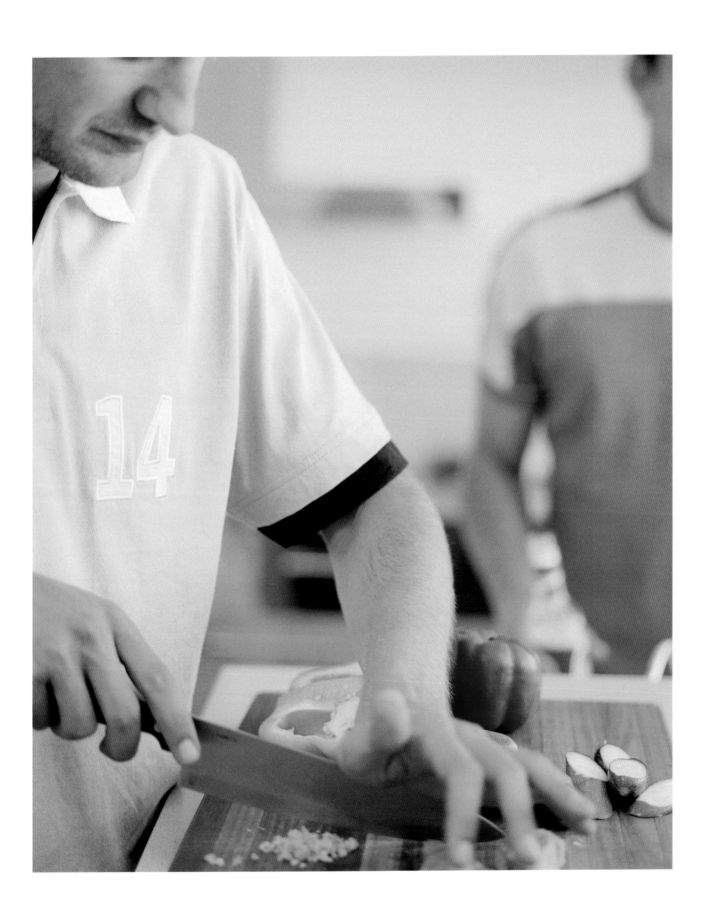

Recetas básicas

En este libro encontrará una amplia variedad de deliciosas recetas vegetarianas. Algunas incluyen las preparaciones básicas, para las que se puede remitir a las páginas siguientes. Asimismo, puede incorporar estas sencillas recetas a cualquier plato de su elección.

SALSA DE QUESO
Para 600 ml

CALDO DE HORTALIZAS
Para 2 l

2 cucharadas de aceite de girasol o maíz
115 g de cebollas bien picadas
115 g de puerros bien picados
115 g de zanahorias bien picadas
4 tallos de apio bien picados
85 g de hinojo bien picado
85 g de tomates bien picados
2,25 l de agua
1 ramillete de hierbas aromáticas

Sofría las cebollas y los puerros en una cazuela a fuego lento, removiendo con frecuencia, 5 minutos o hasta que estén tiernos.

Agregue a continuación las hortalizas restantes, tápelas y rehóguelas a fuego muy lento, removiendo de vez en cuando, durante 10 minutos. Añada el agua y las hierbas aromáticas, y llévelo todo a ebullición. Reduzca el fuego y cueza el caldo a fuego lento durante 20 minutos.

Cuele el caldo y déjelo enfriar. Tápelo y guárdelo en el frigorífico. Se conserva durante 3 días o, congelado en raciones, 3 meses.

40 g de mantequilla
5 cucharadas de harina
600 ml de leche
140 g de queso cheddar rallado
sal y pimienta

Derrita la mantequilla en una cazuela a fuego medio. Fría la harina entre 1 y 2 minutos, removiendo constantemente.

A continuación, aparte la cazuela del fuego e incorpore poco a poco la leche, batiendo al mismo tiempo. Ponga la cazuela de nuevo en el fuego y lleve la leche a ebullición, sin dejar de batir. Cueza la salsa a fuego lento durante 2 minutos o hasta que quede espesa y brillante. Aparte la cazuela del fuego, agregue el queso y remueva hasta que se funda. Salpimiente al gusto.

SALSA DE TOMATE
Para 150 ml

1 cucharada de aceite de oliva
1 cebolla pequeña picada
1 diente de ajo picado
400 g de tomates troceados
  en conserva
2 cucharadas de perejil fresco picado
1 cucharadita de orégano seco
2 hojas de laurel
2 cucharadas de tomate concentrado
1 cucharadita de azúcar
sal y pimienta

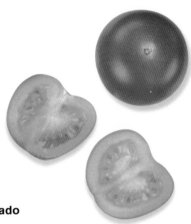

Caliente el aceite en una cazuela a fuego medio. Sofría la cebolla, removiendo, de 2 a 3 minutos, hasta que empiece a estar tierna.

A continuación, añada el ajo y sofría durante 1 minuto, sin dejar de remover. Agregue los tomates, el perejil, el orégano, el laurel, el tomate concentrado y el azúcar, y salpimiente al gusto.

Lleve la salsa a ebullición, reduzca el fuego y cuézala a fuego lento, sin tapar, entre 15 y 20 minutos, hasta que se reduzca a la mitad. Deseche las hojas de laurel antes de servir.

SALSA PESTO
Para 75 ml

50 g de hojas de albahaca
  fresca
15 g de piñones
1 diente de ajo
una pizca de sal
25 g de queso parmesano recién rallado
3 cucharadas de aceite de oliva virgen extra

Pique en un mortero la albahaca, los piñones, el ajo y la sal.

Pase la mezcla a un bol e incorpore poco a poco el queso parmesano con una cuchara de madera, seguido del aceite, hasta obtener una salsa espesa y cremosa.

Cubra el bol con film transparente y guárdelo en el frigorífico.

MAYONESA
Para 300 ml

2 yemas de huevo
una pizca de sal, y un poco más para sazonar
150 ml de aceite de girasol
150 ml de aceite de oliva
1 cucharada de vinagre de vino blanco
2 cucharaditas de mostaza de Dijon
pimienta

Bata las yemas con una pizca de sal en un bol.

Bata las dos clases de aceite en una jarra. Vierta un cuarto de esta mezcla por encima de las yemas, gota a gota, batiendo constantemente con una batidora de varillas o eléctrica.

Incorpore el vinagre, bata de nuevo y siga añadiendo la mezcla de aceites en un chorro continuo y sin dejar de batir.

Cuando haya incorporado todo el aceite, agregue la mostaza y salpimiente la mayonesa al gusto.

TZATZIKI
Para 500 ml

**500 ml de yogur griego natural u otro
yogur espeso natural**
4 dientes de ajo bien picados
2 pepinos pelados, sin pepitas y picados
**1 cucharada de aceite aromático de limón
o aceite de oliva virgen extra**
3 cucharadas de zumo de limón
1 cucharada de hojas de menta fresca picadas
sal y pimienta
pimentón, para decorar

PARA ACOMPAÑAR
tiras de apio
tiras de zanahoria
triángulos de pan de pita

Mezcle el yogur, el ajo, el pepino, el aceite, el zumo de limón y
la menta en el bol en el que vaya a servir la salsa. Salpimiente
al gusto, cubra el bol con film transparente y déjelo en el frigorífico al menos 2 horas o hasta que vaya a usar la salsa.

Antes de servir, decore con un poco de pimentón. Sirva con tiras
de apio y zanahoria, y triángulos de pan de pita para mojar.

PASTA QUEBRADA
Para 1 lámina de 23 cm de diámetro

175 g de harina
una pizca de sal
**85 g de mantequilla en dados, y un poco
más para engrasar el molde**
1 yema de huevo
3 cucharadas de agua muy fría

Mezcle la harina y la sal. Añada la mantequilla y amáselo todo
con las yemas de los dedos, hasta que adquiera una consistencia desmigada. A continuación, bata la yema con el agua.
Vierta la mezcla sobre la masa y amáselo todo con un cuchillo
de hoja redondeada o las yemas de los dedos. Forme una
bola con la masa, envuélvala con papel de aluminio y déjela
reposar en el frigorífico durante 30 minutos.

MASA DE HOJALDRE
Para 1 lámina de 25 cm de diámetro

175 g de harina, y un poco más para espolvorear
una pizca de sal
175 g de mantequilla
unos 150 ml de agua muy fría

Tamice la harina y la sal en un bol grande. Trocee 25 g de mantequilla y amásela junto con la harina con las yemas de los dedos. Reserve la mantequilla restante fuera del frigorífico. Agregue poco a poco el agua a la mezcla anterior, lo justo para ligar la masa, y amase hasta obtener una consistencia homogénea. Envuelva la masa en papel de aluminio y déjela en el frigorífico 30 minutos.

Envuelva la mantequilla reservada en papel de aluminio y forme un rectángulo de 3 cm de grosor. Extienda la masa sobre una superficie ligeramente enharinada y forme un rectángulo tres veces más largo y 3 cm más ancho que el trozo de mantequilla. Desenvuelva la pieza de mantequilla y póngala en el centro de la masa, con el lado largo hacia usted. Envuelva la mantequilla con las dos «alas» de la masa, de modo que quede en el centro; selle los bordes presionándolos con el rodillo y coloque la masa con el lado corto hacia usted. Extiéndala hasta que recupere el largo original, dóblela en tres, dele la vuelta y extiéndala de nuevo. Repita la operación, envuelva la masa y déjela en el frigorífico 30 minutos más. Extiéndala y dele la vuelta dos veces más. Déjela en el frigorífico otros 30 minutos. Guárdela en el congelador.

MASA PARA PIZZA
Para 2 pizzas de 25 cm de diámetro

225 g de harina, y algo más para espolvorear la superficie
1 cucharadita de sal
6 cucharadas de agua tibia
2 cucharadas de aceite de oliva, y algo más para untar
 el bol
1 cucharadita de levadura en polvo

Tamice la harina y la sal en un bol grande calentado previamente y haga un hueco en el centro. Introduzca en el agujero el agua, el aceite y la levadura. Mézclelo todo poco a poco con una cuchara de madera o con las manos, tomando harina de los lados.

Pase la masa a una superficie enharinada y amásela 5 minutos o hasta obtener una masa homogénea y elástica. Forme con ella una bola. A continuación, introdúzcala en un bol untado con aceite y cúbralo con film transparente engrasado. Deje reposar la masa en un lugar cálido 1 hora o hasta que doble su tamaño.

Pase la masa a una superficie ligeramente enharinada y golpéela un poco. Finalmente, forme 2 bases de pizza.

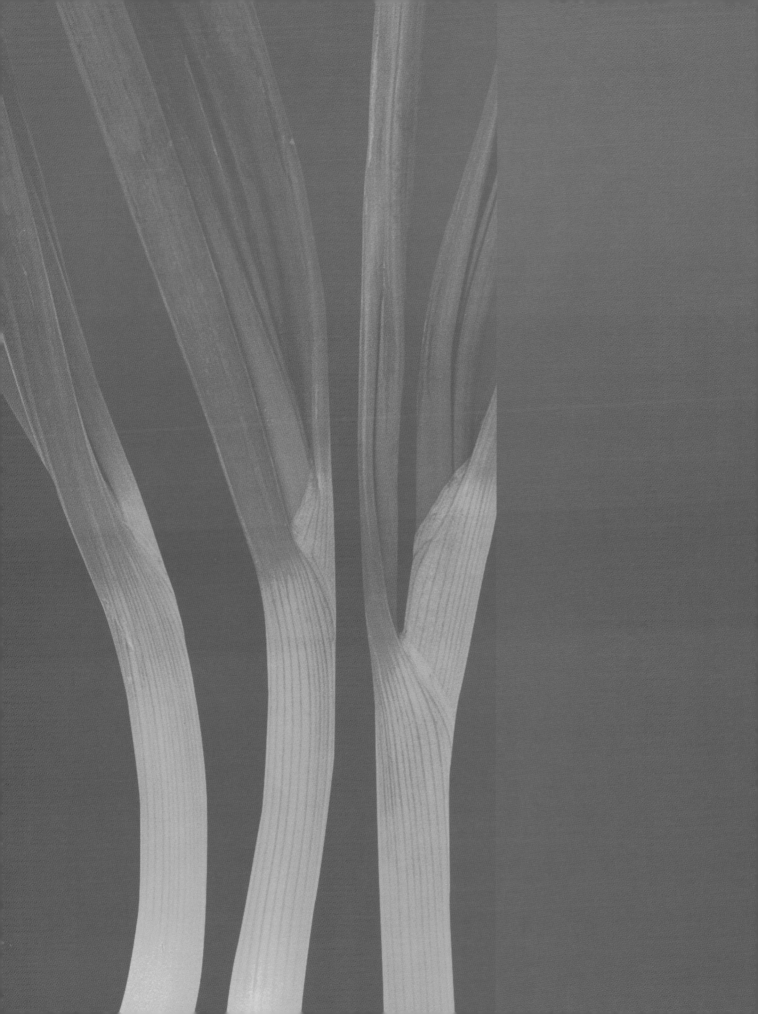

2

Las sopas caseras, con su gran variedad de sabores, son una fuente inagotable de nutrientes, y siempre contienen menos sal que la mayoría de las variedades comerciales, incluso las de más calidad. Además, se pueden preparar con una rapidez y una facilidad que le sorprenderán.

SOPAS Y CREMAS

En las páginas siguientes encontrará recetas para todos los gustos y ocasiones: sopas sustanciosas y con tropezones, sofisticadas cremas de textura suave, caldos ligeros y aromáticos que sirven de entrante en una comida oriental e incluso sopas frías. La selección incluye grandes clásicos vegetarianos como la *Vichyssoise*, el *Gazpacho*, la *Sopa de cebolla francesa* y el *Borsch*.

6 personas | preparación: 40 min, más 4–8 h de refrigeración | cocción: 35 min

vichyssoise

INGREDIENTES

450 g de puerros, sólo la parte blanca

450 g de patatas

50 g de mantequilla

1,25 l de agua

600 ml de leche

300 ml de nata agria, y un poco más
para decorar

sal y pimienta

2 cucharadas de cebollino fresco troceado,
para decorar

Corte los puerros en rodajas finas. Pele las patatas y córtelas en dados. Derrita la mantequilla en una cazuela grande de fondo pesado a fuego muy lento. Agregue los puerros, tape y rehóguelos durante 10 minutos, removiendo de vez en cuando.

Añada las patatas y saltéelas a fuego medio, removiendo con frecuencia, durante 2 minutos. Vierta el agua y agregue una pizca de sal. Lleve el agua a ebullición, reduzca el fuego y cueza las patatas a fuego lento entre 15 y 20 minutos, hasta que estén tiernas. Aparte la cazuela del fuego y deje enfriar un poco las hortalizas. Tritúrelas en un robot de cocina. Tamice el puré y páselo a una cazuela limpia con una cuchara de madera. Incorpore la leche. Salpimiente al gusto e incorpore la mitad de la nata agria.

Caliente de nuevo la crema, pásela por un tamiz y viértala en un bol. Incorpore la nata restante, tape el recipiente con film transparente y deje enfriar la vichyssoise. Manténgala en el frigorífico entre 4 y 8 horas. Sírvala en boles muy fríos, decorada con chorritos de nata agria y cebollino.

CONSEJO

Para obtener un sabor más
intenso, añada al agua un
cubito de caldo de verduras.

4–6 personas | preparación: 20 min, más 4 h de refrigeración

gazpacho

INGREDIENTES

500 g de tomates grandes y jugosos pelados,
  sin pepitas y picados
3 pimientos rojos grandes y maduros,
  sin corazones ni pepitas y en trozos pequeños
2 cucharadas de vinagre de jerez, o al gusto
4 cucharadas de aceite de oliva
una pizca de azúcar
sal y pimienta

PARA SERVIR
cubitos de hielo
pimiento rojo en trocitos
pimiento verde en trocitos
pimiento amarillo en trocitos
pepino sin pepitas en daditos
huevos duros picados
dados de pan frito en aceite de oliva
  aromatizado con ajo

CONSEJO

*El frío amortigua los sabores,
de modo que necesitará más
sal y pimienta que para una
sopa caliente. Por ello,
pruebe y salpimiente la
sopa una vez fría.*

Introduzca los tomates, los pimientos rojos, el vinagre, el aceite y el azúcar en un robot de cocina, y tritúrelos hasta obtener una mezcla con la textura que usted desee. Vierta el gazpacho en un bol, tápelo y déjelo reposar al menos 4 horas antes de servir. Pruébelo y corrija los puntos de sal y pimienta. Añada más vinagre si es necesario.

Sirva el gazpacho en boles con 1 o 2 cubitos cada uno. Saque también a la mesa los boles de tropezones para que se sirvan los comensales.

3–4 personas | preparación: 5 min, más 4 h de refrigeración | cocción: 5 min

sopa fría de guisantes

INGREDIENTES
425 ml de caldo de verduras o agua
450 g de guisantes congelados
50 g de cebolletas picadas, y algo más
  para decorar
300 ml de yogur natural o nata líquida
sal y pimienta
PARA DECORAR
2 cucharadas de menta fresca troceada o
  cebollino fresco picado
ralladura de limón

Lleve el caldo a ebullición en una cazuela grande a fuego medio. Reduzca el fuego, añada las cebolletas y los guisantes, y cuézalos durante 5 minutos.

Deje enfriar un poco las verduras y páselas dos veces por un colador chino, con cuidado de desechar todos los trozos de piel. Páselas a un bol grande, salpimiente al gusto e incorpore el yogur. Cubra el bol con film transparente y déjelo varias horas en el frigorífico.

Para servir, remueva bien la sopa y dispóngala en una sopera grande o en boles o tazas individuales. Decórela con hojas de menta troceadas o cebollino picado, cebolletas y ralladura de limón.

6 personas | preparación: 30 min | cocción: 1 h 30 min

sopa de cebolla francesa

INGREDIENTES

675 g de cebollas

3 cucharadas de aceite de oliva

4 dientes de ajo, 3 picados
y 1 entero pelado

1 cucharadita de azúcar

2 cucharaditas de tomillo fresco picado,
y unas ramitas más para decorar

2 cucharadas de harina

125 ml de vino blanco seco

2 l de caldo de verduras

6 rebanadas de pan de barra

300 g de queso gruyer rallado

VARIANTE

*Si lo desea, puede añadir
2 cucharadas de coñac a
la sopa antes de servirla
en los boles.*

CONSEJO

*Prepare el caldo de
verduras mucho antes
que la sopa. Si el caldo
reposa, los sabores tienen
tiempo de asentarse.*

Corte las cebollas en rodajas finas. Caliente el aceite en una cazuela grande de fondo pesado a fuego lento/medio, añada las cebollas y sofríalas, removiendo de vez en cuando, durante 10 minutos o justo hasta que empiecen a dorarse. Agregue el ajo picado, el azúcar y el tomillo picado, reduzca el fuego y rehóguelo todo, removiendo de vez en cuando, durante 30 minutos o hasta que las cebollas estén bien doradas.

Espolvoree la harina por encima y prosiga la cocción, removiendo constantemente, 1 o 2 minutos. Incorpore el vino. Vierta poco a poco el caldo y llévelo a ebullición. Retire la espuma que aparezca en la superficie. Reduzca el fuego y cueza la sopa a fuego lento durante 45 minutos. Mientras tanto, precaliente el grill del horno a temperatura media/alta. Tueste el pan por ambos lados y frótelo con el diente de ajo entero.

Sirva la sopa en 6 boles refractarios colocados en una bandeja del horno. Disponga una rebanada de pan en cada bol y distribuya el queso entre ellas. Meta la bandeja con la sopa en el horno, con el grill encendido, 2 o 3 minutos o hasta que el queso se funda. Decore los boles con ramitas de tomillo y sírvalos de inmediato.

8 personas | preparación: 30 min, más 4 min de reposo | cocción: 1 h 40 min

sopa de verduras genovesa

INGREDIENTES

2 cebollas en rodajas

2 zanahorias en dados

2 tallos de apio en rodajas

2 patatas peladas y cortadas en dados

115 g de judías verdes finas cortadas
  en trozos de 2,5 cm

115 g de guisantes descongelados previamente

200 g de hojas de espinacas frescas,
  sin los tallos gruesos y picadas

2 calabacines en dados

225 g de tomates de pera pelados,
  sin pepitas y troceados

3 dientes de ajo en láminas finas

4 cucharadas de aceite de oliva virgen extra

2 l de caldo de verduras

1 ración de salsa pesto

140 g de estrellitas u otra pasta de sopa seca

sal y pimienta

queso parmesano recién rallado, para servir

CONSEJO

*Para pelar los tomates, haga
una incisión en forma de cruz
en la base y páselos a un bol
refractario. Cúbralos con agua
hirviendo y déjelos de 30 a
45 segundos. Escúrralos y
sumérjalos en agua fría. Así
los pelará con facilidad.*

Introduzca las cebollas, las zanahorias, el apio, las patatas, las judías verdes, los guisantes, las espinacas, los calabacines, los tomates y el ajo en una cazuela grande de fondo pesado. Vierta el aceite de oliva virgen y el caldo, y llévelo todo a ebullición a fuego lento/medio. Reduzca el fuego y cueza las verduras a fuego lento, removiendo de vez en cuando, durante 1,5 horas.

Mientras tanto, prepare la salsa pesto. Cubra el recipiente con film transparente y deje la salsa en el frigorífico hasta que vaya a utilizarla.

Salpimiente la sopa al gusto y añada la pasta. Cuézala de 8 a 10 minutos más, hasta que la pasta esté tierna, pero *al dente*. La sopa debe quedar muy espesa.

Incorpore la mitad de la salsa pesto, aparte la cazuela del fuego y deje reposar la sopa durante 4 minutos. Pruébela y añada más sal, pimienta y salsa pesto, si es necesario. (La salsa sobrante puede guardarse hasta 2 semanas en el frigorífico en un tarro con tapa de rosca.)

Sirva la sopa de inmediato, en boles calentados previamente. Presente un bol aparte con parmesano para que se sirvan los comensales.

4 personas | preparación: 20 min | cocción: 10 min

sopa de verduras china

INGREDIENTES

115 g de col china

2 cucharadas de aceite de cacahuete

**225 g de tofu marinado cortado en
dados de 1 cm**

2 dientes de ajo en láminas finas

**4 cebolletas en rodajas finas
cortadas al bies**

1 zanahoria en rodajas finas

1 l de caldo de verduras

1 cucharada de vino de arroz chino

2 cucharadas de salsa de soja clara

1 cucharadita de azúcar

sal y pimienta

Corte la col china en juliana y resérvela. Caliente el aceite en un wok (o en una sartén) grande calentado previamente a fuego vivo. Añada los dados de tofu y saltéelos entre 4 y 5 minutos, hasta que se doren. Retire el tofu del wok con una espumadera y escúrralo sobre papel de cocina.

Añada el ajo, las cebolletas y la zanahoria al wok y saltéelos durante 2 minutos. Vierta el caldo, el vino de arroz y la salsa de soja; añada el azúcar y las tiras de col china. Cueza la mezcla a fuego medio, removiendo, durante 1 o 2 minutos más, hasta que esté bien caliente.

Salpimiente al gusto y pase el tofu de nuevo al wok. Sirva la sopa en boles calentados previamente.

VARIANTE

Si no encuentra vino de arroz, sustitúyalo por jerez seco. En lugar de col china, también puede usar variedades de lechuga de hoja rígida, como los cogollos o la lechuga romana.

4 personas | preparación: 10 min, más 1 h de remojo | cocción: 5 min

sopa agripicante

INGREDIENTES

6 setas shiitake secas

115 g de fideos de arroz vermicelli secos

**4 guindillas verdes pequeñas frescas, sin pepitas
y picadas**

6 cucharadas de vinagre de vino de arroz

850 ml de caldo de verduras

2 tallos de hierba de limón partidos por la mitad

**115 g de castañas de agua en conserva,
escurridas, lavadas y cortadas por la mitad**

6 cucharadas de salsa de soja tailandesa

zumo de 1 lima

1 cucharada de azúcar de palma o azúcar moreno

3 cebolletas troceadas, para decorar

Introduzca las setas secas en un bol refractario y
cúbralas con agua hirviendo. Déjelas en remojo
durante 1 hora. Mientras tanto, introduzca los
fideos en otro bol refractario y cúbralos también
con agua hirviendo. Déjelos en remojo durante
10 minutos. Mezcle las guindillas con el vinagre
en un bol aparte y resérvelas.

Escurra las setas y los fideos. Lleve el caldo a
ebullición en una cazuela grande a fuego vivo.
Añada las setas, los fideos, la hierba de limón, las
castañas de agua, la salsa de soja, el zumo de
lima y el azúcar, y llévelo de nuevo a ebullición.

Agregue las guindillas con vinagre y cueza durante
1 o 2 minutos. Deseche la hierba de limón. Sirva la
sopa caliente en boles calentados previamente y
decórela con cebolletas.

4–6 personas | preparación: 10 min | cocción: 40 min

crema de tomate

INGREDIENTES

900 g de tomates grandes y jugosos
  abiertos por la mitad
2 cucharadas de mantequilla
1 cucharada de aceite de oliva
1 cebolla grande cortada en rodajas
2–3 cucharadas de tomate concentrado,
  según la intensidad del sabor de los tomates
850 ml de caldo de verduras
2 cucharadas de jerez amontillado
½ cucharadita de azúcar
sal y pimienta
pan del día, para acompañar

PARA DECORAR
perejil picado
150 ml de nata líquida (opcional)

CONSEJO

*Si no dispone de un
pasapurés, triture la crema
con una batidora o un robot
de cocina y pásela por un
colador fino hasta obtener
una textura homogénea.*

Precaliente el grill a temperatura alta. Disponga los tomates abiertos en una bandeja del horno y hornéelos a unos 10 cm del grill durante 5 minutos o hasta que empiecen a quemarse los bordes.

Mientras tanto, introduzca la mantequilla junto con el aceite en una cacerola o una cazuela refractaria grande y derrítala a fuego medio. Añada la cebolla y sofríala, removiendo con frecuencia, durante 5 minutos. Incorpore el tomate concentrado y fríalo todo durante 2 minutos más.

Agregue los tomates, el caldo, el jerez, el azúcar y sal y pimienta al gusto, y remueva. Lleve la mezcla a ebullición, reduzca el fuego y cuézala a fuego lento, tapada, durante 20 minutos o hasta que sólo quede la pulpa del tomate.

Triture la crema en un pasapurés y pásela a un bol. Viértala de nuevo en la cacerola, lavada previamente, y cuézala, destapada, durante 10 minutos o hasta obtener la consistencia deseada. Sírvala en boles individuales, muy fría y, si lo desea, decorada con perejil y un chorrito de nata. Acompañe la crema con abundante pan.

4–6 personas | preparación: 10 min | cocción: 25 min

crema de puerros y patatas

INGREDIENTES
50 g de mantequilla
1 cebolla picada
3 puerros cortados en rodajas
225 g de patatas peladas y cortadas
   en dados de 2 cm
850 ml de caldo de verduras
sal y pimienta

PARA DECORAR
150 ml de nata líquida (opcional)
2 cucharadas de cebollino fresco picado

Derrita la mantequilla en una cazuela grande a fuego medio y sofría las verduras, removiendo con frecuencia, entre 2 y 3 minutos, hasta que empiecen a estar tiernas. Vierta el caldo y llévelo a ebullición. Reduzca el fuego, tape la cazuela y cueza el caldo a fuego lento, removiendo de vez en cuando, durante 15 minutos.

Aparte el caldo del fuego y deje que se enfríe un poco. Triture la sopa con una batidora o en un robot de cocina hasta obtener una crema homogénea. Viértala de nuevo en la cazuela, lavada previamente.

Caliente la crema, salpimiente al gusto y sírvala en platos calentados previamente. Si lo desea, decórela con cebollino y un chorrito de nata.

crema de patata con hierbas aromáticas y cheddar

INGREDIENTES

1½ cucharadas de aceite vegetal
1 diente de ajo picado
1 cebolla grande picada
2 patatas peladas y troceadas
1 zanahoria grande picada
1 hoja de laurel
600 ml de caldo de verduras
25 g de mantequilla blanda
2 cucharadas de perejil fresco picado
2 cucharadas de cebollino fresco picado
100–115 g de pan del día tostado ligeramente
90 g de queso cheddar rallado grueso
sal y pimienta

Caliente el aceite en una cazuela grande a fuego lento/medio. Sofría el ajo y la cebolla, removiendo con frecuencia, durante 4 minutos, hasta que empiecen a estar tiernos. Añada las patatas y la zanahoria y siga sofriendo, removiendo a menudo, durante 5 minutos más. Agregue la hoja de laurel y el caldo, y salpimiente al gusto. Lleve la mezcla a ebullición, reduzca el fuego, tape la cazuela y deje que cueza a fuego lento, removiendo de vez en cuando, durante 25 minutos o hasta que las verduras estén tiernas.

Mientras tanto, introduzca la mantequilla en un bol pequeño y bátala con la mitad del perejil y la mitad del cebollino. Unte el pan tostado con esta mantequilla y esparza el queso por encima.

Corte el pan en trozos pequeños de unos 2,5 cm de lado y resérvelos. Deseche la hoja de laurel del caldo.

Deje enfriar un poco el caldo y páselo a un robot de cocina o a una batidora de vaso. Triture la mezcla durante 1 minuto o hasta obtener una crema homogénea. Pásela de nuevo a la cazuela, lavada previamente, añada las hierbas aromáticas restantes y caliéntela lentamente de nuevo. Sírvala en boles, cada uno con unos trocitos de pan.

4 personas | preparación: 20 min | cocción: 15 min

crema de maíz, patatas y queso

INGREDIENTES

25 g de mantequilla

2 chalotes bien picados

225 g de patatas peladas y cortadas en dados

4 cucharadas de harina

2 cucharadas de vino blanco seco

300 ml de leche

325 g de maíz tierno dulce en conserva escurrido

85 g de queso gruyer, emmental o
  cheddar rallado

8-10 hojas de salvia fresca picadas, y
  unas ramitas más para decorar

425 ml de nata espesa

PICATOSTES

2-3 rebanadas de pan blanco del día anterior

2 cucharadas de aceite de oliva

Para preparar los picatostes, deseche la corteza de las rebanadas y córtelas en dados de 5 mm de grosor. Caliente el aceite en una sartén de fondo pesado a fuego vivo y fría los dados de pan, removiendo continuamente, hasta que adquieran un tono uniforme. Retírelos con una espumadera, escúrralos bien sobre papel de cocina y resérvelos.

Derrita la mantequilla en una cazuela grande de fondo pesado a fuego lento. Sofría los chalotes, removiendo con frecuencia, durante 5 minutos o hasta que estén tiernos. Añada las patatas y sofríalas, removiendo, durante 2 minutos.

Espolvoree por encima la harina y fríala, removiendo constantemente, durante 1 minuto. Aparte la cazuela del fuego e incorpore el vino. Devuélvala al fuego y vierta poco a poco la leche. Llévela a ebullición, removiendo continuamente, y prosiga la cocción a fuego lento.

Agregue el maíz, el queso, la salvia y la nata, y caliente bien la mezcla a fuego lento hasta que el queso se funda. Sirva de inmediato la crema en boles calentados previamente, con los picatostes, y decorada con ramitas de salvia.

CONSEJO

Para freír los picatostes, el aceite debe estar muy caliente, si no, los dados de pan no quedarán crujientes, sino aceitosos.

4 personas | preparación: 15 min | cocción: 40 min

sopa de lentejas y verduras

INGREDIENTES

2 cucharadas de aceite vegetal

3 puerros, con la parte verde, en rodajas finas

3 zanahorias cortadas en dados

2 tallos de apio cortados en dados

115 g de lentejas pardinas o verdes

75 g de arroz de grano largo

1 l de caldo de verduras

8 mazorcas de maíz cortadas en cuartos

sal y pimienta

PARA DECORAR

4 cucharadas de cebollino fresco troceado

150 ml de nata agria

Caliente el aceite en una cazuela grande a fuego medio. Añada los puerros, las zanahorias y el apio, tape la cazuela y sofríalos, removiendo constantemente, de 5 a 7 minutos, hasta que estén tiernos. Agregue las lentejas y el arroz.

Vierta el caldo. Llévelo a ebullición, reduzca el fuego, tape la cazuela y cuézalo a fuego lento/medio durante 20 minutos. Añada las mazorcas de maíz y déjelo cocer, tapado, durante 10 minutos más o hasta que las lentejas y el arroz estén tiernos.

Salpimiente la sopa al gusto. Sírvala de inmediato en boles individuales calentados previamente. Esparza por encima el cebollino y añada una cucharada de nata agria.

6 personas | preparación: 30 min | cocción: 1h 15 min

borsch

INGREDIENTES

1 cebolla

50 g de mantequilla

350 g de remolacha cruda cortada en juliana y 1 remolacha cruda rallada

1 zanahoria cortada en juliana

3 tallos de apio cortados en rodajas finas

2 tomates pelados, sin pepitas y picados

1,5 l de caldo de verduras

1 cucharada de vinagre de vino blanco

1 cucharada de azúcar

2 ramitas grandes de eneldo fresco, algunas para decorar

115 g de berza cortada en juliana

sal y pimienta

150 ml de nata agria, para decorar

pan de centeno, para acompañar (opcional)

CONSEJO

No es imprescindible añadir más remolacha hacia el final de la cocción, pero eso intensifica el espectacular color morado de esta sopa y también potencia su sabor.

Corte la cebolla en aros. Derrita la mantequilla en una cazuela grande de fondo pesado a fuego lento. Sofría la cebolla, removiendo con frecuencia, durante 5 minutos, hasta que esté tierna. Añada la remolacha en juliana, la zanahoria, el apio y los tomates y sofría, removiendo a menudo, 4 o 5 minutos.

Trocee las ramitas de eneldo. Añada a la cazuela el caldo, el vinagre, el azúcar y una cucharada de eneldo. Salpimiente al gusto. Llévelo a ebullición, reduzca el fuego y cuézalo a fuego lento entre 35 y 40 minutos, hasta que las verduras estén tiernas.

Agregue la berza, tape la cazuela y cuézalo todo a fuego lento 10 minutos más. Incorpore la remolacha rallada, con su jugo, y cuézala 10 minutos. Sirva la sopa en boles calentados previamente, decorada con una cucharada de nata agria y otra de eneldo y, si lo desea, acompañada de pan de centeno.

VARIANTE

Si desea una sopa más sustanciosa, añada 2 patatas cortadas en dados junto con la berza. Cueza las verduras 10 minutos más antes de añadir la remolacha rallada.

4 personas | preparación: 15 min | cocción: 25–30 min

crema de berros

INGREDIENTES

2 ramilletes de berros (unos 200 g) bien lavados
40 g de mantequilla
2 cebollas picadas
225 g de patatas peladas y cortadas
 en trozos grandes
1,25 l de caldo de verduras o agua
nuez moscada entera, para rallar (opcional)
125 ml de crème fraîche, para decorar
sal y pimienta

Retire las hojas de los berros y resérvelas. Corte los tallos en trozos gruesos.

Derrita la mantequilla en una cazuela grande a fuego medio, añada la cebolla y sofríala, removiendo con frecuencia, 4 o 5 minutos, hasta que esté tierna, pero sin que llegue a dorarse.

Agregue las patatas y mézclelas bien con la cebolla. Incorpore los tallos de berro y el caldo.

Llévelo todo a ebullición, reduzca el fuego, tape la cazuela y cuézalo a fuego lento de 15 a 20 minutos, hasta que la patata esté tierna.

Agregue las hojas de berro y caliéntelas bien. Aparte la cazuela del fuego y deje enfriar un poco la sopa. A continuación, tritúrela con una batidora de pie o en un robot de cocina hasta obtener una crema homogénea. Pásela de nuevo a la cazuela, lavada previamente.

Vuelva a calentar la crema, salpimiente al gusto y añada una ración generosa de nuez moscada recién rallada, si lo desea. Por último, sírvala en boles calentados previamente, con una cucharada de crème fraîche por encima.

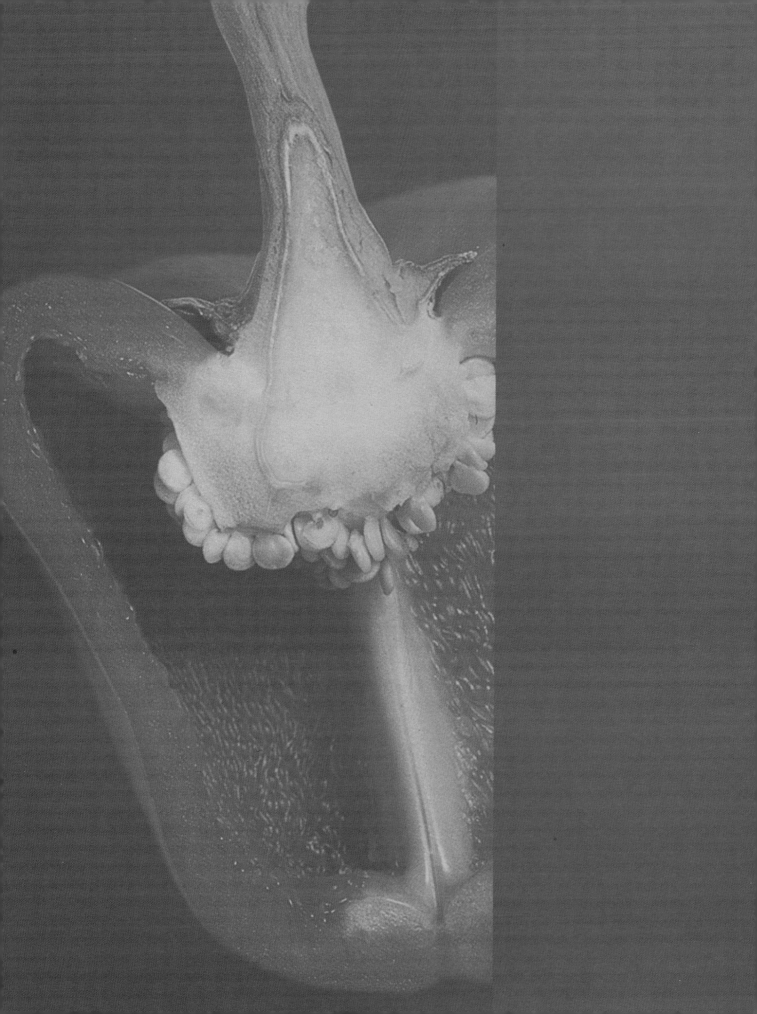

3

Los colores y las texturas abundan en esta apetitosa selección de recetas, que aprovechan al máximo las virtudes de hortalizas que se siguen considerando básicamente mediterráneas –como las berenjenas, los calabacines, los pimientos y los tomates– aromatizadas con ajo, albahaca y orégano.

ENTRANTES
Y PLATOS LIGEROS

Pero en estas páginas también podrá conocer y saborear otras influencias culinarias, desde unas picantes *Fajitas de verduras* mexicanas hasta unas *Verduras agridulces con anacardos* típicas de China. También podrá deleitarse con clásicos de la cocina casera, como la *Coliflor con queso*, las *Hamburguesas de judías* o las *Patatas rellenas de tomate y maíz*.

4 personas | preparación: 20 min, más 9 h 30 min de marinada | cocción: 15 min

entremeses

INGREDIENTES
450 g de champiñones grandes
5 dientes de ajo
unos 400 ml de aceite de oliva virgen extra
1 cucharada de romero fresco bien picado
225 ml de vino blanco seco
3 pimientos rojos
3 pimientos naranjas
4 cucharadas de hojas de albahaca fresca
una pizca de guindilla en polvo
ralladura de 1 limón
225 g de aceitunas negras
2 cucharadas de perejil fresco troceado
sal y pimienta

Corte los champiñones en láminas y dispóngalos en una fuente grande. Trocee 1 diente de ajo. Caliente 4 cucharadas de aceite en una cazuela pequeña a fuego medio. Agregue el ajo troceado, el romero y el vino, y llévelo a ebullición. Reduzca el fuego y cueza la mezcla a fuego lento durante 3 minutos. Salpimiente al gusto. Vierta el adobo por encima de los champiñones y déjelo enfriar, removiendo de vez en cuando. Cubra la cazuela con film transparente y deje marinar en el frigorífico durante 8 horas.

Mientras tanto, precaliente el grill a temperatura media/alta. Ase los pimientos, dándoles la vuelta con frecuencia, hasta que se ennegrezca la piel. Páselos a un bol, tápelo y déjelos enfriar. A continuación, pélelos, córtelos por la mitad y retire las pepitas. Córtelos en tiras y páselos a un plato. Corte en láminas el ajo restante y agréguelo junto con la albahaca. Añada sal al gusto y aceite suficiente para cubrir los pimientos, y remueva un poco. Cubra el plato con film transparente y deje los pimientos en adobo en el frigorífico durante 8 horas.

Entre tanto, caliente el aceite restante (o unos 125 ml) en una cazuela a fuego lento. Agregue la guindilla y la ralladura, y fríalas, removiendo, durante 2 minutos. Añada las aceitunas y sofríalas, removiendo, durante 1 minuto. Pase la mezcla a un plato limpio, esparza el perejil por encima y déjela enfriar. Tápela y déjela en adobo en el frigorífico 8 horas. Saque los entremeses 1 hora antes de servir.

CONSEJO
Prepare estos entremeses
con un día de antelación.
De este modo, puede dejar
los platos en adobo en el
frigorífico toda la noche.

4 personas | preparación: 15 min | cocción: 10 min

falafel con salsa de tahina

INGREDIENTES

450 g de judías blancas en conserva escurridas

350 g de garbanzos en conserva escurridos

1 cebolla bien picada

2 dientes de ajo picados

1 guindilla roja fresca pequeña sin pepitas
 y picada

1 cucharadita de levadura

25 g de perejil picado, y unas ramitas para decorar

una pizca de cayena

2 cucharadas de agua

aceite vegetal, para freír

sal y pimienta

SALSA DE TAHINA

200 ml de tahina

1 diente de ajo picado

1–2 cucharadas de agua

2–3 cucharaditas de zumo de limón

PARA ACOMPAÑAR

pan de pita

yogur natural espeso o tzatziki

cuñas de limón

Para preparar la salsa, introduzca la tahina y el ajo en un bol. Luego, vierta poco a poco el agua hasta obtener una consistencia homogénea. Eche zumo de limón al gusto. Añada más agua o zumo, si es necesario. Cubra el bol con film transparente y deje la salsa en el frigorífico hasta que vaya a utilizarla.

Para preparar los falafel, lave y escurra las judías y los garbanzos. Introdúzcalos en un robot de cocina, junto con la cebolla, el ajo, la guindilla, la levadura, el perejil picado y la cayena. Tritúrelos hasta formar una masa; a continuación, añada el agua y salpimiente generosamente. Triture la masa un poco más.

Caliente en una sartén grande de fondo pesado o en un wok unos 6 cm de aceite a fuego vivo. Por tandas, fría la masa, dándole forma redondeada con una cuchara, de 2 a 2,5 minutos, hasta que los falafel queden dorados y crujientes por fuera. Retírelos con una espumadera y escúrralos bien sobre papel de cocina. Sírvalos calientes o fríos, decorados con ramitas de perejil y acompañados de la salsa, el pan de pita, el yogur o el tzatziki y las cuñas de limón.

4 personas | preparación: 10 min | cocción: 10 min

tostadas con tomate y queso

INGREDIENTES

2 panes sfilatini

175 ml de concentrado de tomates secados al sol

300 g de mozzarella de búfala escurrida
  y cortada en dados

1½ cucharaditas de orégano seco

2–3 cucharadas de aceite de oliva

pimienta

Precaliente el grill a temperatura alta y el horno, a 220°C. Corte el pan en rebanadas al bies y deseche los extremos. Tueste las rebanadas por ambos lados debajo del grill hasta que se doren.

Unte cada tostada por un lado con el concentrado de tomate y coloque encima un trozo de mozzarella. Espolvoree las tostadas con orégano y agregue pimienta al gusto.

Disponga las tostadas en una bandeja de horno grande y rocíelas con aceite. Hornéelas durante 5 minutos o hasta que el queso se funda y burbujee. Retire las tostadas y déjelas reposar 5 minutos antes de servirlas.

CONSEJO

Si no encuentra panes sfilatini, utilice una chapata grande y corte las rebanadas por la mitad.

4 personas | preparación: 15 min | cocción: 20–30 min

berenjenas rellenas

INGREDIENTES

8 berenjenas pequeñas

2 cucharadas de aceite vegetal o de cacahuete

4 chalotes bien picados

2 dientes de ajo majados

2 guindillas rojas frescas sin pepitas y picadas

1 calabacín cortado en trozos grandes

115 g de crema de coco troceada

unas hojas de albahaca tailandesa fresca picadas

un puñadito de cilantro fresco picado

4 cucharadas de salsa de soja tailandesa

PARA ACOMPAÑAR

arroz con cebolletas troceadas

salsa de guindilla dulce

Precaliente el horno a 200°C. Disponga las berenjenas en una bandeja del horno y áselas entre 8 y 10 minutos, hasta que estén tiernas. Córtelas por la mitad y extraiga la pulpa. Reserve la piel.

Caliente el aceite en un wok o en una sartén grande y saltee los chalotes, el ajo y las guindillas de 2 a 3 minutos. Añada el calabacín, la pulpa de berenjena, la crema de coco, las hierbas aromáticas y la salsa de soja, y cuézalo todo a fuego lento, removiendo con frecuencia, entre 3 y 4 minutos.

Reparta la mezcla entre las pieles de berenjena. Introdúzcalas de nuevo en el horno y déjelas de 5 a 10 minutos, hasta que estén bien calientes. Sírvalas de inmediato con arroz con cebolletas y salsa de guindilla dulce.

CONSEJO

Si prepara esta receta con berenjenas grandes, seguramente bastará con media por persona.

4 personas | preparación: 15 min | cocción: 1 h 15 min–2h 15 min

berenjenas asadas al estilo de oriente medio

INGREDIENTES

300 ml de aceite de oliva

450 g de cebollas cortadas en rodajas finas

6 dientes de ajo cortados en láminas finas

400 g de tomates troceados en conserva

una pizca de azúcar

1 cucharadita de sal

2 cucharadas de perejil fresco picado

2 cucharadas de albahaca fresca picada

2 berenjenas

zumo de 1 limón

cuñas de limón, para decorar

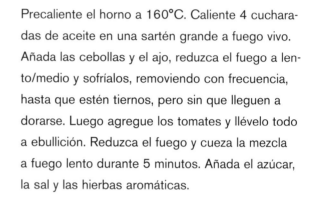

Precaliente el horno a 160°C. Caliente 4 cucharadas de aceite en una sartén grande a fuego vivo. Añada las cebollas y el ajo, reduzca el fuego a lento/medio y sofríalos, removiendo con frecuencia, hasta que estén tiernos, pero sin que lleguen a dorarse. Luego agregue los tomates y llévelo todo a ebullición. Reduzca el fuego y cueza la mezcla a fuego lento durante 5 minutos. Añada el azúcar, la sal y las hierbas aromáticas.

Corte las berenjenas por la mitad a lo largo. Dispóngalas abiertas en una fuente refractaria grande. Esparza por encima el sofrito de cebolla y tomate, rocíelo con zumo de limón y vierta también el aceite restante. A continuación, añada agua suficiente para que las berenjenas queden totalmente cubiertas, tape la fuente y ase las berenjenas durante 1 o 2 horas, hasta que estén tiernas. Compruebe el punto de cocción con frecuencia, pinchándolas con un tenedor, y añada más agua si es necesario.

Retire la fuente del horno y déjela enfriar. Pase las berenjenas a una fuente y sírvalas tibias o a temperatura ambiente, decoradas con cuñas de limón.

4 personas | preparación: 5 min | cocción: 1 h 5 min

judías al estilo griego

INGREDIENTES

400 g de judías blancas en conserva
escurridas y lavadas
1 cucharada de aceite de oliva
3 dientes de ajo majados
425 ml de caldo de verduras
1 hoja de laurel
2 ramitas de orégano fresco
1 cucharada de tomate concentrado
zumo de 1 limón
1 cebolla roja pequeña picada
25 g de aceitunas negras sin hueso
cortadas por la mitad
sal y pimienta

Introduzca las judías en una cazuela refractaria, añada el aceite y el ajo, y sofríalas a fuego lento, removiendo con frecuencia, entre 4 y 5 minutos.

Añada el caldo, la hoja de laurel, el orégano, el tomate concentrado, el zumo de limón y la cebolla, y mézclelo todo bien. Tape la cazuela y cuézalo durante 1 hora o hasta que la salsa espese.

Incorpore las aceitunas y salpimiente al gusto. Este plato resulta igualmente delicioso caliente, a temperatura ambiente o frío.

CONSEJO

Puede utilizar cualquier tipo de judías blancas en conserva, como judías cannellini o judías de ojo, o incluso garbanzos. Escúrralas y lávelas, porque las conservas suelen contener sal o azúcar añadidos.

6 personas | preparación: 15 min, más 3 h de remojo | cocción: 1 h 50 min

fríjoles

INGREDIENTES

2 guindillas verdes frescas

350 g de judías rojas secas puestas
  en remojo con agua fría durante 3 horas

2 cebollas picadas

2 dientes de ajo picados

1 hoja de laurel

2 cucharadas de aceite de girasol o maíz

2 tomates pelados, sin pepitas y picados

sal

Pique las guindillas. Escurra las judías y páselas a una cazuela. Añada agua hasta que sobrepase unos 2,5 cm las judías. Agregue también la mitad de la cebolla, la mitad del ajo, las guindillas y la hoja de laurel. Lleve la mezcla a ebullición y deje que hierva a borbotones durante 15 minutos. Después reduzca el fuego y deje cocer a fuego lento durante 30 minutos. Añada más agua hirviendo si la mezcla se queda seca.

Incorpore la mitad del aceite y cuézalo todo 30 minutos más. Vierta más agua hirviendo si es necesario. Añada sal al gusto y prolongue la cocción 30 minutos más, pero sin añadir más agua.

Mientras tanto, caliente el resto del aceite en una sartén. Añada la cebolla y el ajo restantes y sofríalos, removiendo con frecuencia, durante 5 minutos o hasta que estén tiernos. Incorpore los tomates y sofría la mezcla 5 minutos más. Agregue 3 cucharadas de las judías cocidas, tritúrelo todo bien hasta formar una masa y mézclela con las judías restantes. Caliente el plato a fuego lento y sírvalo.

CONSEJO

Algunas legumbres secas, como las judías rojas, contienen una toxina que sólo se destruye con la cocción rápida, por lo que deben hervir a fuego vivo 15 minutos antes de proseguir la cocción a fuego lento.

fajitas de verduras

INGREDIENTES

2 cucharadas de aceite de maíz

2 cebollas cortadas en rodajas finas

2 dientes de ajo bien picados

2 pimientos verdes sin pepitas y en rodajas

2 pimientos rojos sin pepitas y en rodajas

4 guindillas verdes frescas sin pepitas y en rodajas

2 cucharaditas de cilantro fresco picado

12 tortillas de harina

225 g de champiñones cortados en láminas

sal y pimienta

Caliente el aceite en una sartén de fondo pesado a fuego lento. Rehogue las cebollas y el ajo, removiendo de vez en cuando, hasta que estén tiernos. Agregue los pimientos, las guindillas y el cilantro, y rehóguelos, removiendo a menudo, 10 minutos.

Entre tanto, caliente otra sartén sin aceite a fuego medio/vivo y tueste las tortillas de una en una 30 segundos por cada lado. Introdúzcalas en el horno a temperatura baja para mantenerlas calientes. También puede amontonar las tortillas y calentarlas en un horno microondas, siguiendo las instrucciones del envase.

Añada los champiñones al sofrito de verduras y rehóguelos durante 1 minuto, sin dejar de remover. Salpimiente al gusto. Por último, reparta las verduras entre las tortillas, enrolle las fajitas y sírvalas de inmediato.

VARIANTE

Si no le gusta el picante, utilice 2 guindillas frescas en vez de 4 o no las incluya en la receta. Las fajitas son deliciosas acompañadas de yogur natural o nata agria.

CONSEJO

Lávese siempre bien las manos después de manipular guindillas y no se toque la boca ni los ojos. Si tiene la piel sensible, prepare esta receta con guantes de goma.

2–3 personas | preparación: 15 min | cocción: 1 h

pimientos rellenos

INGREDIENTES

6 cucharadas de aceite de oliva,
  y un poco más para untar los pimientos
2 cebollas bien picadas
2 dientes de ajo majados
140 g de arroz de grano corto
50 g de pasas
50 g de piñones
40 g de perejil fresco bien picado
1 cucharada de tomate concentrado
  disuelta en 700 ml de agua caliente
4–6 pimientos rojos, verdes o amarillos
  o una combinación de colores, o 6 de
  la variedad larga mediterránea
sal y pimienta

Caliente el aceite en una cazuela poco profunda de fondo pesado a fuego medio. Sofría las cebollas, removiendo con frecuencia, durante 3 minutos. Añada el ajo y sofríalo todo, removiendo, 2 minutos más o hasta que la cebolla esté tierna pero no dorada.

Agregue el arroz, las pasas y los piñones y remueva hasta que se impregnen bien de aceite. Añada la mitad del perejil, salpimiente al gusto, incorpore el tomate concentrado disuelto y lleve la mezcla a ebullición. Reduzca el fuego y deje cocer la preparación a fuego lento, destapada, sacudiendo la cazuela con frecuencia, durante 20 minutos o hasta que el arroz esté tierno, el líquido se absorba y aparezcan agujeritos en la superficie. Tenga cuidado, porque las pasas se pegan y queman con facilidad. Incorpore el perejil restante y deje que la cacerola se enfríe un poco.

Mientras tanto, precaliente el horno a 200°C. Corte la parte superior de cada pimiento y resérvelas. Deseche la parte central y las pepitas.

Reparta el relleno entre los pimientos, tápelos con las cubiertas reservadas y sujételos con palillos. Unte con un poco de aceite cada pimiento y dispóngalos en una bandeja de horno. Áselos durante 30 minutos o hasta que estén tiernos. Sírvalos calientes o a temperatura ambiente.

CONSEJO

Si utiliza pimientos alargados de la variedad mediterránea, es más fácil sacar las pepitas con un vaciador para bolas de melón, una cucharilla o un cuchillo de cocina pequeño.

4 personas | preparación: 20 min | cocción: 35–40 min

champiñones rellenos

INGREDIENTES

12 champiñones grandes
3 cucharadas de vino blanco seco
3 cucharadas de agua
1 chalote picado
1 ramita de tomillo fresco bien picada
2 cucharaditas de zumo de limón
15 g de mantequilla
2 cucharaditas de aceite de oliva
1 diente de ajo bien picado
175 g de hojas de espinacas frescas, sin los
 tallos duros y picadas
50 g de queso feta desmenuzado
sal y pimienta

Precaliente el horno a 180°C. Retire los pies de los champiñones y píquelos bien. Vierta el vino y el agua en una cazuela ancha y añada la mitad del chalote y el tomillo. Llévelo todo a ebullición a fuego medio, reduzca el fuego y deje cocer durante 2 minutos. Añada los sombreros de los champiñones, con la cara lisa hacia abajo, y rócíelos con zumo de limón. Tape la cazuela y cueza los champiñones a fuego lento durante 6 minutos. Luego, páselos a un plato para que se escurran. Lleve el líquido de nuevo a ebullición, agregue los pies de los champiñones, la mantequilla y sal al gusto. Cueza la mezcla durante 6 minutos o hasta que el líquido se absorba. Pase los pies a un bol.

Caliente el aceite en otra cazuela a fuego medio. Añada el chalote restante, el ajo y las espinacas y espolvoréelo todo con un poco de sal. Sofría, removiendo, durante 3 minutos o hasta que se evapore el líquido. Mezcle el sofrito de espinacas con

los pies de champiñón, agregue pimienta al gusto y mezcle con cuidado el queso feta.

Reparta uniformemente la mezcla entre los sombreros de champiñón. Dispóngalos en una sola capa en una fuente refractaria y áselos de 15 a 20 minutos, hasta que se doren. Sírvalos tibios.

4 personas | preparación: 10 min | cocción: 1 h 10 min

patatas asadas rellenas

INGREDIENTES

900 g de patatas para asar cepilladas

2 cucharadas de aceite vegetal

1 cucharadita de sal gruesa marina

115 g de mantequilla

1 cebolla pequeña picada

**115 g de queso cheddar rallado o queso azul
desmenuzado**

sal y pimienta

OPCIONAL

**4 cucharadas de maíz tierno dulce
en conserva y escurrido**

**4 cucharadas de champiñones,
calabacines o pimientos cocidos**

cebollino fresco troceado, para decorar

Precaliente el horno a 190°C. Pinche las patatas con un tenedor en varios puntos y dispóngalas en una bandeja de horno. Úntelas con aceite y esparza por encima la sal. Áselas en el horno durante 1 hora o hasta que la piel esté crujiente y el interior parezca tierno al pincharlo con un tenedor.

Mientras tanto, derrita 1 cucharada de la mantequilla en una sartén pequeña a fuego medio/lento. Añada la cebolla y rehóguela, removiendo de vez en cuando, entre 8 y 10 minutos, hasta que esté tierna y dorada. Resérvela.

Corte las patatas por la mitad a lo largo. Extraiga la carne y pásela a un bol grande, dejando las pieles enteras. Resérvelas. Suba la temperatura del horno a 200°C.

Chafe la patata y mézclela con la cebolla y la mantequilla restante. Salpimiente al gusto y agregue cualquiera de los ingredientes opcionales, si los va a utilizar. Después, introduzca la mezcla en las pieles de patata con una cuchara. Esparza el queso por encima.

Ase las patatas rellenas en el horno 10 minutos o hasta que el queso se funda y empiece a dorarse. Para finalizar, decore con cebollino y sirva de inmediato.

4 personas | preparación: 20 min | cocción: 1 h 10 min

patatas rellenas
de tomate y maíz

INGREDIENTES

2 patatas para asar grandes
85 g de maíz tierno dulce en conserva
50 g de judías rojas en conserva
2 cucharadas de aceite de oliva, y un poco más
 para untar
115 g de tomates sin pepitas y cortados en dados
2 chalotes cortados en rodajas finas
¼ pimiento rojo cortado en dados pequeños
1 guindilla roja fresca sin pepitas y bien picada
1 cucharada de hojas de cilantro fresco picado
1 cucharada de zumo de lima
50 g de queso cheddar rallado
sal y pimienta
cuñas de lima, para decorar

Precaliente el horno a 200°C. Pinche las patatas en varios puntos con un tenedor y úntelas con aceite. Áselas directamente en la bandeja del horno durante 1 hora o hasta que la piel esté crujiente y el interior, tierno al pincharlo con un tenedor.

Mientras tanto, prepare el relleno. Escurra el maíz y las judías, lávelos bien y escúrralos de nuevo. Después, páselos a un bol junto con el aceite, los tomates, los chalotes, el pimiento rojo, la guindilla, el cilantro, el zumo de lima y sal y pimienta al gusto, y mézclelo todo bien.

Precaliente el grill a temperatura media. Corte las patatas por la mitad longitudinalmente. Separe la patata de la piel, dejando esta entera, y reserve la patata para usarla en otra receta. Unte el interior de las pieles con aceite y dispóngalas en una bandeja de horno, con el corte hacia arriba. Áselas bajo el grill durante 5 minutos o hasta que estén crujientes.

Introduzca el relleno dentro de las pieles de patata y esparza el queso por encima. A continuación, ase las patatas rellenas debajo del grill a temperatura media hasta que se funda el queso. Sírvalas de inmediato, decoradas con cuñas de lima.

hamburguesas de judías

INGREDIENTES

**1 cucharada de aceite de girasol,
 y algo más para untar las hamburguesas**
1 cebolla bien picada
1 diente de ajo bien picado
1 cucharadita de cilantro molido
1 cucharadita de comino molido
115 g de champiñones bien picados
**425 g de judías rojas o pintas en conserva
 escurridas y lavadas**
2 cucharadas de perejil fresco picado
harina, para espolvorear
sal y pimienta

PARA SERVIR
panecillos para hamburguesa
ensalada

Caliente el aceite en una sartén de fondo pesado a fuego medio. Sofría la cebolla, removiendo con frecuencia, durante 5 minutos o hasta que esté tierna. Agregue el ajo, el cilantro y el comino, y sofría todo, removiendo, durante 1 minuto más. Añada los champiñones y sofríalos también, removiendo a menudo, entre 4 y 5 minutos, hasta que se evapore el líquido. Pase el sofrito a un bol.

Introduzca las judías en un bol pequeño y tritúre-las con un pasapurés. Mézclelas con el sofrito de champiñones y el perejil, y salpimiente al gusto.

Precaliente el grill a temperatura media/alta. Reparta la masa en 4 porciones de igual tamaño, espolvoréelas ligeramente con harina y forme hamburguesas planas y redondas. Luego, úntelas con aceite y áselas debajo del grill entre 4 y 5 minutos por cada lado. Por último, sirva las hamburguesas en panecillos acompañadas ensalada.

CONSEJO

Si las hamburguesas se rompen, añada un poco más de aceite. Así serán más fáciles de moldear.

4 personas | preparación: 15 min | cocción: 15 min

coliflor con queso

INGREDIENTES
1 coliflor, cortada en ramilletes, de unos
  675 g de peso una vez preparada
40 g de mantequilla
40 g de harina
450 ml de leche
115 g de queso cheddar rallado fino
nuez moscada entera, para rallar
1 cucharada de queso parmesano recién rallado
sal y pimienta

PARA ACOMPAÑAR (OPCIONAL)
tomates cortados en rodajas
ensalada verde
pan del día

Lleve a ebullición una cazuela grande llena de agua con sal, introduzca la coliflor y cuézala durante 4 o 5 minutos; debe quedar un poco dura. Después, escúrrala, pásela a una fuente de 1,5 litros de capacidad y manténgala caliente.

Derrita la mantequilla en la cazuela, lavada previamente, a fuego medio e incorpore la harina. Fríala durante 1 minuto, sin dejar de remover.

Aparte la cazuela del fuego y vierta poco a poco la leche hasta obtener una mezcla homogénea.

Póngala de nuevo a fuego medio y cueza la salsa, removiendo constantemente, hasta que hierva y se espese. Seguidamente, reduzca el fuego y cueza a fuego lento la salsa, sin dejar de remover, durante 3 minutos o hasta obtener una textura homogénea y cremosa.

Aparte la cazuela del fuego y añada el queso cheddar y abundante nuez moscada rallada. Pruebe la salsa y salpiméntela generosamente.

Precaliente el grill a temperatura alta. Vierta la salsa caliente sobre la coliflor, esparza por encima el parmesano y dore la coliflor. Sírvala de inmediato acompañada de las rodajas de tomate, ensalada y pan del día.

4 personas | preparación: 10 min | cocción: 15 min

calabacines asados con queso

INGREDIENTES

4 calabacines

2 cucharadas de aceite de oliva virgen extra

115 g de mozzarella en lonchas finas

2 tomates grandes sin pepitas
y cortados en dados

2 cucharaditas de albahaca fresca u orégano
fresco picados, y unas hojas más para decorar

Precaliente el horno a 200°C. Corte los calabacines a lo largo en 4 rodajas cada uno. Úntelos con aceite y dispóngalos en una fuente refractaria.

Ase los calabacines en el horno durante 10 minutos o hasta que estén tiernos, pero sin que lleguen a perder su forma.

Retírelos del horno. Disponga las lonchas de queso por encima y, a continuación, los tomates troceados y la albahaca. Introduzca de nuevo la fuente en el horno y déjela 5 minutos o hasta que el queso se funda.

Sirva con cuidado los calabacines en platos o sáquelos a la mesa directamente en la fuente, decorados con hojas de albahaca.

4 personas | preparación: 15 min | cocción: 5–7 min

salteado de verduras clásico

INGREDIENTES

3 cucharadas de aceite de sésamo

8 cebolletas bien picadas

1 diente de ajo majado

1 cucharada de raíz de jengibre fresca rallada

1 cabeza de brécol cortada en ramilletes

1 pimiento naranja o amarillo troceado

125 g de col lombarda rallada

125 g de mazorquitas de maíz

175 g de champiñones grandes
  cortados en láminas finas

200 g de brotes de soja frescos

250 g de castañas de agua en conserva
  escurridas y lavadas

4 cucharaditas de salsa de soja, o al gusto

arroz de grano largo y salvaje mezclados,
  para acompañar

Caliente 2 cucharadas de aceite en un wok (o en una sartén grande) calentado previamente a fuego vivo. Añada 6 cebolletas y reserve el resto para decorar el plato. Agregue también el ajo y el jengibre, y saltéelos durante 30 segundos.

Añada el brécol, el pimiento naranja y la col, y saltéelos 1 o 2 minutos. Agregue el maíz y los champiñones, y saltéelos 1 o 2 minutos.

Para terminar, añada los brotes de soja y las castañas de agua y saltéelos durante 2 minutos. Vierta la salsa de soja y remueva bien.

Sirva de inmediato en platos calentados previamente y sobre un lecho de arroz de grano largo y salvaje. Decore la preparación con las cebolletas reservadas.

4–6 personas | preparación: 10 min, más 15 min de reposo | cocción: 15–30 min

tortilla española

INGREDIENTES
125 ml de aceite de oliva
**600 g de patatas peladas y cortadas en rodajas
 finas**
1 cebolla grande cortada en rodajas finas
6 huevos grandes
sal y pimienta
ramitas de perejil fresco, para decorar

Caliente a fuego vivo una sartén de 25 cm de diámetro, preferiblemente antiadherente. Caliente el aceite. Reduzca el fuego a medio/lento, añada las patatas y la cebolla, y rehóguelas, removiendo de vez en cuando, entre 15 y 20 minutos, hasta que las patatas estén tiernas.

Bata los huevos en un bol grande y salpimiente generosamente. Pase las patatas y la cebolla por un colador y reserve el aceite en un bol refractario. Mezcle con mucho cuidado las patatas y la cebolla con el huevo batido. Deje reposar la mezcla 10 minutos.

Retire los restos de patata y cebolla que se hayan pegado a la sartén con una cuchara de madera o una espátula. Caliente de nuevo la sartén a fuego medio/vivo con 4 cucharadas del aceite reservado. Añada la mezcla de huevo y patata, y alise la superficie, presionando sobre las patatas y la cebolla para que formen una capa uniforme.

Deje que cuaje la tortilla, sacudiendo la sartén de vez en cuando, durante 5 minutos o hasta que esté hecha por debajo. Separe el borde de la tortilla con una espátula. Luego, coloque un plato grande sobre la sartén y dele la vuelta con cuidado para que la tortilla caiga en el plato. Vierta en la sartén 1 cucharada del aceite reservado y repártalo por el fondo. A continuación, deslice con cuidado la tortilla en la sartén con el lado cocido hacia arriba y pase la espátula alrededor de la tortilla para cerrar los bordes.

Deje la tortilla en el fuego 3 minutos más o hasta que cuaje y se dore por debajo. Apártela del fuego y pásela a un plato. Déjela reposar al menos 5 minutos antes de cortarla. Sírvala tibia o a temperatura ambiente, decorada con ramitas de perejil.

CONSEJO
*Si tiene dificultades para
darle la vuelta a la tortilla,
termine la cocción debajo del
grill a temperatura media/alta,
a unos 10 cm de la fuente
de calor, hasta que se cuaje
el huevo del lado superior.
No obstante, de esta forma
la tortilla no tendrá su típico
borde redondeado.*

4 personas | preparación: 15 min | cocción: 15 min

brochetas de verduras glaseadas

INGREDIENTES
150 ml de yogur natural desnatado
4 cucharadas de chutney de mango
1 cucharadita de ajo picado
1 cucharada de zumo de limón
8 cebollitas enteras peladas
16 mazorquitas de maíz partidas por la mitad
2 calabacines cortados en trozos de 2,5 cm
16 champiñones
16 tomates cherry
sal y pimienta
hojas de ensalada variadas, para decorar

Introduzca el yogur, el chutney, el ajo, el zumo de limón y sal y pimienta al gusto en un bol, remueva bien y reserve.

Lleve a ebullición una cazuela llena de agua, añada las cebollas y lleve el agua de nuevo a punto de ebullición. Retire las cebollas y escúrralas bien.

Ensarte las cebollas, las mazorquitas, los calabacines, los champiñones y los tomates en 8 brochetas de metal o bambú remojadas previamente en agua durante 30 minutos. Alterne unas hortalizas con otras al montar las brochetas.

Precaliente el grill a temperatura elevada. Disponga las brochetas en una bandeja de horno y úntelas con la mezcla de yogur. Áselas durante 10 minutos o hasta que estén tiernas y doradas. Durante la cocción, deles la vuelta y úntelas con la mezcla de yogur a menudo.

Sírvalas acompañadas de hojas de ensalada variadas.

4 personas | preparación: 15 min | cocción: 20 min

salteado tibio de verduras

INGREDIENTES

4 cucharadas de aceite de oliva
2 tallos de apio cortados en rodajas
2 cebollas rojas cortadas en rodajas
450 g de berenjenas cortadas en dados
1 diente de ajo bien picado
5 tomates de pera picados
3 cucharadas de vinagre de vino tinto
1 cucharada de azúcar
3 cucharadas de aceitunas verdes sin hueso
2 cucharadas de alcaparras
4 cucharadas de perejil fresco picado
sal y pimienta
rebanadas de pan del día, para acompañar

Caliente la mitad del aceite en una cazuela grande de fondo pesado a fuego lento. Añada el apio y las cebollas y sofríalos, removiendo con frecuencia, durante 5 minutos o hasta que estén tiernos, pero sin que se doren. Agregue el aceite restante y las berenjenas y saltéelas, removiendo con frecuencia, durante 5 minutos o hasta que empiecen a dorarse.

Añada el ajo, los tomates, el vinagre y el azúcar y mézclelo todo bien. A continuación, cubra la mezcla con un trozo redondo de papel encerado y cuézala a fuego lento durante 10 minutos.

Retire el papel encerado, incorpore las aceitunas y las alcaparras, y salpimiente al gusto. Seguidamente, disponga las verduras en un plato y resérvelas hasta que estén a temperatura ambiente. Esparza por encima el perejil y sirva el plato acompañado de rebanadas de pan.

CONSEJO

Si es posible, compre alcaparras sicilianas. Se envasan con sal y sólo hay que lavarlas antes de utilizarlas. Puede usar también alcaparras en salmuera, siempre preferibles a las que se conservan en vinagre.

4 personas | preparación: 15 min | cocción: 5–8 min

verduras agridulces con anacardos

INGREDIENTES

1 cucharada de aceite vegetal o de cacahuete

1 cucharadita de aceite de guindilla

2 cebollas cortadas en rodajas

2 zanahorias cortadas en rodajas finas

2 calabacines cortados en rodajas finas

115 g de brécol separado en ramilletes

115 g de champiñones cortados en láminas

115 g de col china pequeña cortada por la mitad

2 cucharadas de azúcar de palma o moreno

2 cucharadas de salsa de soja tailandesa

1 cucharada de vinagre de arroz

50 g de anacardos

Vierta las dos clases de aceite en un wok (o en una sartén) calentado previamente, añada las cebollas y saltéelas durante 1 o 2 minutos hasta que empiecen a estar tiernas.

Agregue las zanahorias, los calabacines y el brécol y saltéelos durante 2 o 3 minutos. Añada los champiñones, la col china, el azúcar, la salsa de soja y el vinagre, y saltéelos durante 1 o 2 minutos.

Mientras tanto, caliente una sartén de fondo pesado sin aceite a fuego vivo, añada los anacardos y tuéstelos ligeramente, sacudiendo la sartén con frecuencia. Esparza los anacardos por encima de las verduras salteadas y sírvalas de inmediato.

4 personas | preparación: 10 min, más 20 min de marinada | cocción: 10 min

tofu picante

INGREDIENTES

MARINADA

5 cucharadas de caldo de verduras

2 cucharaditas de fécula de maíz

2 cucharadas de salsa de soja

1 cucharada de azúcar extrafino

una pizca de guindilla seca desmenuzada

SALTEADO

250 g de tofu duro (peso escurrido),
  bien lavado y escurrido, y cortado en
  dados de 1 cm

4 cucharadas de aceite de cacahuete

1 cucharada de raíz de jengibre fresca rallada

3 dientes de ajo majados

4 cebolletas cortadas en rodajas finas

1 cabeza de brécol separada en ramilletes

1 zanahoria cortada en tiras

1 pimiento amarillo cortado en rodajas finas

250 g de setas shiitake cortadas en láminas finas

arroz cocido al vapor, para acompañar

Mezcle todos los ingredientes de la marinada en un bol grande. Añada el tofu y remueva bien para que se impregne. Luego, tape el bol y déjelo reposar durante 20 minutos.

Vierta la mitad del aceite en un wok (o en una sartén grande) calentado previamente a fuego vivo, agregue el tofu con su marinada y saltéelo hasta que quede dorado y crujiente. Retírelo del wok y resérvelo.

Caliente el aceite restante en el wok, añada el jengibre, el ajo y las cebolletas, y saltee durante 30 segundos. Agregue el brécol, la zanahoria,

el pimiento amarillo y las setas, y saltéelos entre 5 y 6 minutos. Eche el tofu de nuevo en el wok y caliéntelo bien.

Sirva el plato de inmediato, acompañado de arroz al vapor.

4 personas | preparación: 10 min | cocción: 6 min

setas de ostra con verduras y salsa de cacahuete y guindilla

INGREDIENTES

1 cucharada de aceite de sésamo

4 cebolletas cortadas en rodajas finas

1 zanahoria cortada en bastoncitos

1 calabacín cortado en bastoncitos

½ cabeza de brécol separada en ramilletes

450 g de setas de ostra cortadas en láminas finas

2 cucharadas de mantequilla de cacahuete crujiente

1 cucharadita de guindilla en polvo, o al gusto

3 cucharadas de agua

cuñas de lima, para decorar

arroz o fideos chinos cocidos, para acompañar

Caliente el aceite en un wok (o en una sartén) calentado previamente hasta que casi humee, incorpore las cebolletas y saltéelas durante 1 minuto. Agregue la zanahoria y el calabacín, y saltéelos durante 1 minuto. Luego, añada el brécol y saltéelo también durante 1 minuto.

Añada las setas y saltéelas hasta que estén tiernas y se haya evaporado al menos la mitad del líquido de la cocción. Incorpore la mantequilla de cacahuete y remueva bien; a continuación, agregue la guindilla en polvo.

Para finalizar, vierta el agua y rehogue el salteado durante 1 minuto más, sin dejar de remover. Sirva el plato de inmediato, sobre un lecho de arroz o fideos chinos cocidos y decorado con cuñas de lima.

4

La siguiente selección de recetas, que pueden servir tanto de segundos como de platos únicos, demuestra lo variada que puede ser la dieta vegetariana. En estas páginas encontrará versiones vegetarianas de platos siempre populares, como la lasaña, la musaca, el chile y la paella, además de otro clásico muy celebrado, el pastel de frutos secos, preparado en este caso con avellanas, zanahorias y cilantro.

PLATOS PRINCIPALES

Los aficionados a la pasta encontrarán aquí gran variedad de recetas con salsas de verduras frescas y hierbas aromáticas, mientras que los amantes del arroz se podrán deleitar con apetitosas variantes del clásico risotto. Los admiradores del curry, por su parte, podrán escoger entre platos de origen tailandés o indio, según sus gustos personales o su estado de ánimo. Pero, por su atractivo universal, un reconfortante guiso siempre es una fuente de placer cotidiano y una garantía de éxito.

4 personas | preparación: 10 min, más 30 min de reposo | cocción: 45 min

pisto con patatas asadas

INGREDIENTES

1 berenjena de unos 250 g

4 cucharadas de aceite de oliva

2 dientes de ajo picados

1 cebolla grande picada

2 pimientos rojos sin pepitas
  y cortados en dados

800 g de tomates troceados en conserva

2 calabacines cortados en rodajas

1 tallo de apio cortado en rodajas

1 cucharadita de azúcar

sal y pimienta

2 cucharadas de tomillo fresco picado,
  y unas ramitas para decorar

PARA ACOMPAÑAR

patatas asadas recién hechas con mantequilla
pan del día

Deseche los extremos de la berenjena, córtela en dados e introdúzcala en un colador. Espolvoréela con sal y déjela reposar unos 30 minutos.

Caliente el aceite en una cazuela grande a fuego moderado. Agregue el ajo y la cebolla, y sofríalos, removiendo con frecuencia, durante 3 minutos o hasta que empiecen a estar tiernos. Lave la berenjena, escúrrala bien e introdúzcala en la cazuela, junto con los pimientos. Reduzca el fuego y sofría las hortalizas a fuego lento durante 10 minutos más, removiendo de vez en cuando.

Añada los tomates, los calabacines, el apio, el azúcar y el tomillo picado, y salpimiente al gusto. Lleve el pisto a ebullición y a continuación reduzca el fuego, tape la cazuela y deje cocer las verduras a fuego lento durante 30 minutos.

Terminado el tiempo de cocción, aparte la cazuela del fuego y sirva el pisto en platos, decorado con ramitas de tomillo. Puede acompañarlo con patatas asadas calientes con mantequilla y pan del día.

4 personas | preparación: 10 min, más 30 min de reposo | cocción: 1 h 15 min

imam bayildi

INGREDIENTES

2 berenjenas de unos 275 g cada una

6 cucharadas de aceite de oliva

3 dientes de ajo picados

2 cebollas picadas

750 g de tomates troceados en conserva

2 pimientos rojos, sin pepitas y picados

1 tallo de apio cortado en rodajas

1 cucharada de pasas

1 cucharada de pasas sultanas

una pizca de nuez moscada recién rallada

sal y pimienta

1 cucharada de perejil fresco picado, más unas ramitas para decorar

arroz recién cocido, para acompañar

Corte cada berenjena por la mitad a lo largo. Extraiga la pulpa, dejando 1 cm junto a la piel. Espolvoree la pulpa y las pieles con sal, y déjelas reposar durante 30 minutos.

Precaliente el horno a 180°C. Mientras tanto, caliente la mitad del aceite en una cazuela a fuego medio. Añada el ajo y la cebolla, y sofríalos, removiendo con frecuencia, durante 3 minutos o hasta que empiecen a estar tiernos. Lave la berenjena y escúrrala bien; a continuación, añada a la cazuela la pulpa, junto con los tomates. Sofríalo todo 10 minutos, removiendo a menudo durante la cocción. Agregue seguidamente los pimientos rojos, el apio, las pasas, las pasas sultanas, la nuez moscada y el perejil picado y salpimiente al gusto la mezcla. Reduzca el fuego, tape la cazuela y cuézalo todo a fuego lento durante 15 minutos.

Disponga las pieles de berenjena en una fuente refractaria y rellénelas con la mezcla de tomate. Rocíelas con el aceite restante, cubra la fuente con papel de aluminio y ase las berenjenas en el horno durante 45 minutos. Una vez asadas, sáquelas del horno y deje que se enfríen a temperatura ambiente. Por último, decórelas con ramitas de perejil y sírvalas acompañadas de arroz recién cocido. Si prefiere servirlas frías, déjelas enfriar completamente y guárdelas en el frigorífico hasta que vayan a consumirse. Sáquelas 1 hora antes de servirlas.

canelones de espinacas y ricotta

INGREDIENTES
12 tubos de pasta seca para canelones
mantequilla, para engrasar

RELLENO
140 g de espinacas descongeladas y escurridas
115 g de queso ricotta
1 huevo
3 cucharadas de queso pecorino recién rallado
una pizca de nuez moscada recién rallada
sal y pimienta

SALSA DE QUESO
600 ml de leche
25 g de mantequilla
2 cucharadas de harina
85 g de queso gruyer recién rallado
sal y pimienta

Lleve a ebullición una cazuela grande con agua y un poco de sal. Introduzca la pasta y hiérvala la pasta 6 o 7 minutos o hasta que empiece a estar tierna. Escúrrala, enfríela con agua del grifo y escúrrala otra vez. Extienda la pasta sobre un paño limpio.

Introduzca las espinacas y la ricotta en un robot de cocina y tritúrelos unos segundos. Añada el huevo y el pecorino, y tritúrelo todo hasta obtener una textura homogénea. Pase el relleno a un bol y aderécelo con nuez moscada, sal y pimienta al gusto.

Precaliente el horno a 180°C. Engrase una fuente refractaria. Ponga un poco de relleno en una lámina de pasta y enróllela. Pase el canelón a la fuente preparada y rellene los canelones restantes.

Para preparar la salsa de queso, caliente la leche en una cazuela justo por debajo del punto de ebullición. Mientras tanto, derrita la mantequilla en otra cazuela a fuego lento. Añada la harina y sofríala, removiendo constantemente, durante 1 minuto. Aparte la cazuela del fuego e incorpore poco a poco la leche caliente. Ponga la cazuela de nuevo en el fuego y lleve la leche a ebullición, sin dejar de remover. Reduzca el fuego al mínimo y cueza la salsa a fuego lento, removiendo con frecuencia, durante 10 minutos o hasta que se espese. Aparte la cazuela del fuego, incorpore el queso gruyer y salpimiente al gusto.

Vierta la salsa por encima de los canelones. Cubra la fuente con papel de aluminio y déjela en el horno de 20 a 25 minutos. Sirva el plato inmediatamente.

4 personas | preparación: 10 min | cocción: 25 min

fusilli con calabacines, limón y romero

INGREDIENTES

6 cucharadas de aceite de oliva

1 cebolla pequeña cortada en rodajas muy finas

2 dientes de ajo bien picados

2 cucharadas de romero fresco picado

1 cucharada de perejil fresco picado

450 g de calabacines pequeños cortados en tiras de 4 cm x 5 mm

ralladura fina de 1 limón

450 g de fusilli secos

4 cucharadas de queso parmesano recién rallado

sal y pimienta

Caliente el aceite en una sartén grande a fuego lento/moderado. Añada la cebolla y sofríala, removiendo de vez en cuando, durante 10 minutos o hasta que se dore.

Aumente el fuego a moderado/alto. A continuación, añada el ajo, el romero y el perejil, y sofríalos durante unos segundos, sin dejar de remover.

Agregue los calabacines y la ralladura de limón, y fríalos, removiendo de vez en cuando, entre 5 y 7 minutos, hasta que los calabacines estén tiernos. Salpimiente al gusto y aparte la sartén del fuego.

Mientras tanto, lleve a ebullición una cazuela grande llena de agua con sal. Añada la pasta, lleve el agua a ebullición de nuevo y cueza la pasta entre 8 y 10 minutos, hasta que esté *al dente*. Escúrrala y pásela a una fuente calentada previamente.

Caliente brevemente la salsa de calabacín, viértala por encima de la pasta y mézclelo todo bien. Finalmente, esparza por encima el queso parmesano y sirva el plato de inmediato.

pasta all'arrabbiata

INGREDIENTES

150 ml de vino blanco seco

1 cucharada de concentrado de tomates
   secados al sol

2 guindillas frescas

2 dientes de ajo bien picados

350 g de tortiglioni

4 cucharadas de perejil fresco picado

sal y pimienta

virutas de queso pecorino recién cortadas,

para decorar

SUGOCASA

5 cucharadas de aceite de oliva virgen extra

450 g de tomates de pera picados

sal y pimienta

Prepare primero la sugocasa. Caliente el aceite en una sartén a fuego vivo hasta que casi humee. Sofría los tomates, removiendo con frecuencia, 2 o 3 minutos. A continuación, cueza los tomates a fuego lento 20 minutos o hasta que estén tiernos. Salpimiéntelos al gusto. Páselos por un colador que no sea metálico, presionando con una cuchara de madera, e introdúzcalos en una cazuela. Añada el vino, el concentrado de tomate, las guindillas enteras y el ajo, y lleve la sugocasa a ebullición. Reduzca el fuego y cueza la salsa a fuego lento.

Mientras tanto, lleve a ebullición una cazuela grande con agua y un poco de sal. Añada la pasta, hierva de nuevo el agua y cueza la pasta entre 8 y 10 minutos, hasta que esté *al dente*.

Retire las guindillas de la salsa y pruébela. Si le gusta el picante, pique una o ambas guindillas y devuélvalas a la cazuela. Pruebe la salsa, añada más sal y pimienta si es necesario y, finalmente, agregue la mitad del perejil.

Escurra la pasta y pásela a un bol calentado previamente. Vierta la salsa y mézclela con la pasta. Espolvoree por encima el perejil restante, decore el plato con las virutas de queso pecorino y sírvalo de inmediato.

CONSEJO

Si no dispone de tiempo, use sugocasa preparada. Se puede comprar en supermercados. También puede usar passata de tomate, pero la salsa quedará menos espesa.

4 personas | preparación: 10 min | cocción: 20 min

pasta con brécol y guindilla

INGREDIENTES
225 g de macarrones o coditos secos
225 g de brécol cortado en ramilletes
50 ml de aceite de oliva virgen extra
2 dientes de ajo grandes picados
2 guindillas frescas sin pepitas y troceadas
8 tomates cherry (opcional)
hojas de albahaca fresca, para decorar

Lleve a ebullición una cazuela grande llena de
agua con sal. Añada la pasta, lleve el agua de
nuevo a ebullición y cuézala entre 8 y 10 minutos,
hasta que esté *al dente*. Escurra la pasta, enfríela
con agua del grifo y vuélvala a escurrir. Resérvela.

Lleve a ebullición otra cazuela llena de agua con
sal, añada el brécol y cuézalo durante 5 minutos.
Escúrralo, enfríelo con agua del grifo y escúrralo
de nuevo.

A continuación, caliente el aceite a fuego vivo en
la cazuela en la que ha cocido la pasta. Añada el
ajo, las guindillas y los tomates, si decide utilizar-
los, y sofría los ingredientes durante 1 minuto, sin
dejar de remover.

Añada el brécol y mézclelo bien con el sofrito.
Fríalo 2 minutos, removiendo, hasta que esté bien
caliente. Acto seguido, agregue la pasta y mézclela
bien. Deje la pasta en el fuego 1 minuto más. Para
terminar, pásela a un bol grande calentado previamente y sírvala decorada con hojas de albahaca.

4 personas | preparación: 10 min, más 30 min de reposo | cocción: 8–10 min

caracolas con tomate, ajo y albahaca

INGREDIENTES

550 g de tomates maduros grandes pelados,
 sin pepitas y troceados
125 ml de aceite de oliva virgen extra
4 dientes de ajo bien picados
un puñado de albahaca fresca desmenuzada
3 cucharadas de orégano o mejorana frescos
picados
450 g de caracolas secas
sal y pimienta

Mezcle los tomates, el aceite, el ajo, la albahaca y el
orégano en un bol en el que quepa la pasta cocida.
Salpimiente generosamente los ingredientes. Cubra
el bol con film transparente y deje reposar la mezcla
a temperatura ambiente por lo menos 30 minutos.

Lleve a ebullición una cazuela grande con agua
y sal. Añada la pasta, hierva de nuevo el agua y
cueza la pasta entre 8 y 10 minutos, hasta que
esté *al dente*. Escúrrala bien e introdúzcala de
inmediato en el bol.

Mézclelo todo bien y sirva el plato a temperatura
ambiente.

4 personas | preparación: 5 min | cocción: 30 min

risotto clásico

INGREDIENTES

2 l de caldo de verduras o agua

3 cucharadas de mantequilla

1 cucharada de aceite de oliva

1 cebolla pequeña bien picada

450 g de arroz arborio

sal y pimienta

**50 g de queso parmesano o Grana Padano
recién rallado, más unas virutas para decorar**

Lleve el caldo a ebullición en una cazuela, reduzca el fuego y déjelo cociendo a fuego lento mientras prepara el risotto.

Mezcle 2 cucharadas de mantequilla con el aceite en una cazuela honda y caliéntelos a fuego medio. Cuando se derrita la mantequilla, sofría la cebolla, removiendo con frecuencia, durante 5 minutos o hasta que esté tierna, pero sin que llegue a dorarse.

Añada el arroz, remueva para que se impregne de mantequilla y aceite, y fríalo, removiendo constantemente, durante 2 o 3 minutos o hasta que los granos se vean translúcidos. Vaya agregando poco a poco el caldo caliente a medida que el arroz lo absorba (un cucharón cada vez) y remueva constantemente. Cueza el arroz 20 minutos o hasta que se absorba todo el caldo y el arroz quede cremoso, pero sin una textura excesivamente blanda. A continuación, salpimiente al gusto, pero tenga en cuenta que el queso parmesano es salado de por sí.

Aparte la cazuela del fuego y agregue la mantequilla restante. Mézclela bien con el arroz y luego añada el queso parmesano; remueva hasta que se funda. Pruebe el arroz, salpimiente de nuevo si es necesario y sirva el plato de inmediato, decorado con virutas de queso parmesano.

4 personas | preparación: 5 min | cocción: 30 min

risotto con vino tinto, hierbas aromáticas y tomates

INGREDIENTES

**1 risotto preparado con mitad de caldo
 de verduras y mitad de vino tinto fuerte**

**6 tomates secados al sol en aceite de oliva,
 escurridos y bien picados**

**1 cucharada de tomillo fresco picado, y unas
 ramitas más para decorar**

1 cucharada de perejil fresco picado

**10–12 hojas de albahaca fresca desmenuzada,
 para decorar**

Prepare el risotto clásico de la receta anterior, pero cuando el arroz absorba el primer cucharón de caldo y vino añada los tomates secados al sol.

Cinco minutos antes del final de la cocción, incorpore con cuidado al risotto las hierbas aromáticas.

Para servir el plato, decórelo con hojas de albahaca desmenuzada y ramitas de tomillo.

4 personas | preparación: 5 min | cocción: 30 min

risotto con verduras asadas

INGREDIENTES

1 risotto preparado con caldo de verduras
  o mitad de caldo y mitad de vino blanco seco
225 g de hortalizas asadas y troceadas, por
  ejemplo pimientos, calabacines y berenjenas
2 cucharadas de hierbas aromáticas frescas bien
  picadas, para decorar

Prepare la receta de risotto clásico, pero añada
la mayor parte de las hortalizas asadas al arroz
5 minutos antes del final de la cocción, para que
se calienten bien. Reserve varios trozos grandes
para decorar el plato.

Sirva el risotto en platos individuales calentados
previamente. Para decorarlos, coloque las hortalizas reservadas alrededor del arroz o por encima,
y a continuación esparza por encima las hierbas
aromáticas. Sirva el risotto inmediatamente.

6 personas | preparación: 15 min | cocción: 40 min

paella de verduras

INGREDIENTES

¼ cucharadita de hebras de azafrán

3 cucharadas de agua caliente

6 cucharadas de aceite de oliva

1 cebolla cortada en rodajas

3 dientes de ajo bien picados

1 pimiento rojo sin pepitas y cortado en rodajas

1 pimiento naranja sin pepitas y cortado en rodajas

1 berenjena grande cortada en dados

225 g de arroz para risotto

600 ml de caldo de verduras

450 g de tomates pelados y picados

115 g de champiñones cortados en láminas

115 g de judías verdes cortadas por la mitad

400 g de garbanzos en conserva

sal y pimienta

Mezcle el azafrán y el agua en un bol y resérvelos. Mientras tanto, caliente el aceite en una sartén grande o en una paella a fuego medio. Sofría la cebolla, removiendo con frecuencia, 5 minutos o hasta que esté tierna. Agregue el ajo, los pimientos y la berenjena, y sofríalos 5 minutos, removiendo de vez en cuando.

Añada el arroz y cuézalo, removiendo constantemente, durante 1 minuto o hasta que los granos se impregnen bien de aceite. Incorpore el caldo, los tomates y el agua con azafrán y salpimiente al gusto. Llévelo todo a ebullición y a continuación cuézalo a fuego lento durante 15 minutos, sacudiendo con frecuencia la sartén y removiendo de vez en cuando.

Agregue los champiñones, las judías y los garbanzos con su jugo. Deje cocer 10 minutos más, removiendo de vez en cuando. Sírvalo de inmediato.

4 personas | preparación: 30 min | cocción: 15 min

pilaf de lentejas y arroz
con apio, zanahoria y naranja

INGREDIENTES

4 cucharadas de aceite vegetal

1 cebolla roja bien picada

2 tallos de apio tierno con hojas cortados
  en cuartos a lo largo y, a continuación, en dados

2 zanahorias ralladas gruesas

1 guindilla verde fresca, sin pepitas y bien picada

3 cebolletas, con la parte verde, bien picadas

40 g de almendras enteras blanqueadas y
  cortadas en láminas a lo largo

350 g de arroz basmati integral cocido

150 g de lentejas rojas partidas cocidas

175 ml de caldo de verduras

5 cucharadas de zumo de naranja recién
  exprimido

sal y pimienta

Caliente la mitad del aceite a fuego medio en una sartén honda con tapadera. Sofría la cebolla, removiendo con frecuencia, durante 5 minutos o hasta que esté tierna. Añada el apio, las zanahorias, la guindilla, las cebolletas y las almendras. Saltéelo todo 2 minutos o hasta que las hortalizas estén tiernas pero crujientes y conserven aún sus colores vivos. Pase el salteado a un bol y resérvelo.

Caliente el aceite restante en la sartén a fuego medio/vivo. Sofría el arroz y las lentejas, sin dejar de remover, 1 o 2 minutos, hasta que estén bien calientes. Reduzca el fuego e incorpore el caldo y el zumo de naranja. Salpimiente al gusto.

Pase de nuevo las hortalizas a la sartén. Mézclelas con el arroz y déjelas en el fuego unos minutos, hasta que se calienten bien. Sirva el pilaf de inmediato en una fuente calentada previamente.

4 personas | preparación: 10 min | cocción: 1 h 30 min

arroz con guisantes al estilo caribeño

INGREDIENTES

115 g de guandús secos puestos en remojo una
  noche sumergidos totalmente en agua
225 g de arroz de grano largo
700 ml de agua
50 g de crema de coco
1 cebolla picada
2 dientes de ajo bien picados
1 pimiento rojo pequeño sin pepitas y picado
1 cucharada de hojas de tomillo fresco
1 hoja de laurel
½ cucharadita de especias variadas molidas
sal y pimienta

CONSEJO

El guandú también recibe otros nombres, como guando, gandul o guisante de Angola. Los guandús frescos se utilizan en algunas recetas caribeñas.

Escurra los guandús e introdúzcalos en una cazuela grande. Vierta agua fría suficiente como para que queden cubiertos por 2,5 cm de agua. Lleve el agua a ebullición y a continuación reduzca el fuego y cueza los guandús a fuego lento durante 1 hora o hasta que estén tiernos. Escúrralos y páselos otra vez a la cazuela.

Agregue el arroz, el agua, el coco, la cebolla, el ajo, el pimiento rojo, el tomillo, el laurel y las especias, y salpimiente la mezcla al gusto. Llévelo todo a ebullición, removiendo constantemente, y déjelo cocer hasta que la crema de coco se funda. A continuación, tape la cazuela y prosiga la cocción a fuego lento durante 20 minutos.

Para terminar, destape la cazuela y cueza el arroz 5 minutos más o hasta que se evapore el líquido sobrante. Remueva el arroz con un tenedor para separar los granos y sírvalo de inmediato.

4 personas | preparación: 15 min, más 30 min de reposo | cocción: 1 h

polenta de verduras

INGREDIENTES

1 berenjena de unos 250 g cortada en rodajas

300 g de polenta

1,25 l de caldo de verduras

6 cucharadas de aceite de oliva, y un poco más
  para engrasar la bandeja

1 diente de ajo picado

2 cebollas rojas cortadas en rodajas

850 g de patatas nuevas pequeñas por la mitad

1 pimiento rojo sin pepitas y cortado en tiras

1 pimiento naranja sin pepitas y cortado en tiras

2 calabacines cortados en rodajas

3 cucharadas de tomates secados al sol en aceite
  de oliva, escurridos y picados

1 cucharada de romero fresco picado

sal y pimienta

1 cucharada de perejil fresco picado, más unas
  ramitas para decorar

Introduzca las rodajas de berenjena en un colador. Sálelas y déjelas reposar 30 minutos.

Precaliente el horno a 190°C. Mientras el horno se calienta, engrase una fuente refractaria con aceite.

Introduzca la polenta y el caldo en una cazuela grande y lleve el caldo a ebullición, removiendo constantemente. Cueza la polenta durante 10 minutos, removiendo, y después pásela a la fuente engrasada. Hornee la polenta durante 45 minutos y dele la vuelta a media cocción.

Mientras tanto, caliente la mitad del aceite en una cazuela grande a fuego medio. Añada las cebollas y el ajo y sofríalos, removiendo con frecuencia, durante 3 minutos. A continuación, lave la berenjena, escúrrala bien, séquela con papel de cocina e introdúzcala en la cazuela, junto con las patatas, los pimientos, los calabacines, los tomates, el romero y el perejil. Salpimiente la mezcla al gusto y sofríalo todo, removiendo a menudo, durante 5 minutos. Seguidamente, reduzca el fuego y prosiga la cocción 10 minutos más, removiendo de vez en cuando.

Engrase ligeramente una bandeja de horno y disponga encima las hortalizas. Rocíelas con el aceite restante y áselas durante 20 minutos. Deles la vuelta a mitad de la cocción. Para presentar el plato, corte la polenta en cuñas y colóquela junto a las hortalizas asadas, decoradas con ramitas de perejil.

4 personas | preparación: 15 min | cocción: 20 min

curry verde tailandés

INGREDIENTES

150 g de ramilletes de brécol

150 g de tirabeques

2 cucharadas de aceite de guindilla

350 ml de leche de coco en conserva

200 g de tofu duro marinado cortado en dados

1 pimiento verde sin pepitas y cortado en rodajas

1 pimiento amarillo sin pepitas y en rodajas

1 cucharada de salsa de soja

100 g de brotes de soja

1 cucharada de cilantro fresco picado, y

unas ramitas más para decorar

sal y pimienta

tallarines chinos recién hechos

PASTA DE CURRY VERDE

8 guindillas verdes frescas picadas

2 cucharadas de cebolletas picadas

2 cucharaditas de hojas de lima cafre frescas picadas

2 dientes de ajo grandes bien picados

1 trozo de 2,5 cm de raíz fresca de jengibre rallado

1 cucharada de hierba de limón fresca bien picada

2 cucharaditas de cilantro molido

½ cucharadita de comino molido

½ cucharadita de sal

2 cucharadas de aceite de guindilla

Para preparar la pasta, introduzca todos los ingredientes en un robot de cocina y tritúrelos hasta obtener una mezcla homogénea. Vierta la pasta en un bol, cúbralo con film transparente y guárdelo en el frigorífico. Mientras se enfría, lleve a ebullición una cazuela grande con agua y cueza el brécol y los tirabeques durante 2 minutos. Escúrralos, enfríelos con agua del grifo y vuélvalos a escurrir.

Caliente el aceite en una cazuela grande a fuego medio y sofría 2 cucharadas de pasta de curry durante 1 minuto, sin dejar de remover. Incorpore 4 cucharadas de leche de coco, el tofu, el brécol, los tirabeques, los pimientos y la salsa de soja. Sofríalo todo 5 minutos e incorpore la leche de coco restante. Llévela a ebullición, agregue los brotes de soja y prosiga la cocción a fuego lento 5 minutos más. Finalmente, incorpore el cilantro, salpimiente al gusto y caliéntelo todo bien.

Vierta el sofrito sobre los tallarines recién hechos y sírvalos decorados con ramitas de cilantro.

4 personas | preparación: 20 min | cocción: 40–50 min

hortalizas con coco y curry

INGREDIENTES

1 cebolla troceada

3 dientes de ajo cortados en láminas muy finas

1 trozo de 2,5 cm de raíz fresca de jengibre
cortado en rodajas muy finas

2 guindillas verdes frescas sin pepitas y
bien picadas

1 cucharada de aceite vegetal

1 cucharadita de cúrcuma molida

1 cucharadita de cilantro molido

1 cucharadita de comino molido

1 kg de hortalizas variadas troceadas, por
ejemplo coliflor, calabacines, patatas,
zanahorias y judías verdes

200 g de crema de coco

600 ml de agua hirviendo

sal y pimienta

2 cucharadas de cilantro fresco picado,
para decorar

arroz recién cocido, para acompañar

Introduzca la cebolla, el ajo, el jengibre y las guindillas en un robot de cocina y tritúrelo todo hasta obtener una mezcla prácticamente homogénea.

Caliente el aceite en una cazuela grande de fondo pesado a fuego lento/medio y sofría el puré durante 5 minutos, removiendo constantemente.

Añada la cúrcuma, el cilantro y el comino, y prosiga la cocción durante 3 o 4 minutos, removiendo con frecuencia. Agregue a continuación las hortalizas y remueva para que se impregnen de especias.

Mezcle la crema de coco y el agua hirviendo en un recipiente refractario y remueva hasta que la crema se disuelva. Añada la crema disuelta a las hortalizas, tape la cazuela y cuézalo todo a fuego lento entre 30 y 40 minutos o hasta que las hortalizas estén tiernas.

Salpimiente el plato al gusto, decórelo con el cilantro fresco picado y sírvalo acompañado de arroz.

4 personas | preparación: 20 min | cocción: 45 min

hortalizas al curry

INGREDIENTES
1 berenjena
225 g de nabos
350 g de patatas nuevas
225 g de coliflor
225 g de champiñones
1 cebolla grande
3 zanahorias
6 cucharadas de manteca o aceite vegetal
2 dientes de ajo majados
4 cucharaditas de raíz de jengibre fresca
  bien picada
1–2 guindillas verdes frescas sin pepitas y picadas
1 cucharada de pimentón
2 cucharaditas de cilantro molido
1 cucharada de curry en polvo suave o algo picante
450 ml de caldo de verduras
400 g de tomates troceados en conserva
1 pimiento verde sin pepitas y cortado en rodajas
1 cucharada de fécula de maíz
150 ml de leche de coco
2–3 cucharadas de almendras molidas
sal
ramitas de cilantro fresco, para decorar
arroz recién cocido, para acompañar

Corte la berenjena, los nabos y las patatas en dados de 1 cm de grosor. Divida la coliflor en ramilletes pequeños. Deje los champiñones enteros, si son pequeños, o, si lo prefiere, córtelos en trozos grandes. Corte también la cebolla y las zanahorias en rodajas.

A continuación, caliente la manteca en una cazuela grande a fuego lento. Añada la cebolla, los nabos, las patatas y la coliflor, y sofríalo todo durante 3 minutos, removiendo con frecuencia.

Agregue el ajo, el jengibre, la guindilla, el pimentón, el cilantro molido y el curry en polvo. Prosiga la cocción durante 1 minuto, removiendo constantemente.

Añada el caldo, los tomates, la berenjena y los champiñones, y sazone al gusto. Tape la cazuela y cuézalo todo a fuego lento, removiendo de vez en cuando, 30 minutos o hasta que los ingredientes estén tiernos. Agregue las zanahorias y el pimiento, tape la cazuela y cuézalo 5 minutos más.

Pase la fécula de maíz y la leche de coco a un bol y remueva hasta obtener una consistencia homogénea. Luego añádalas a las verduras y mézclelo todo bien. Agregue las almendras molidas y cuézalo todo a fuego lento durante 2 minutos, removiendo constantemente. Pruebe las verduras y corrija de sal y pimienta si es necesario. Sírvalas de inmediato decoradas con ramitas de cilantro y acompañadas de arroz cocido.

4 personas | preparación: 20 min | cocción: 40 min

korma de verduras

INGREDIENTES

4 cucharadas de manteca o aceite vegetal
2 cebollas picadas
2 dientes de ajo picados
1 guindilla fresca picada
1 cucharada de raíz de jengibre fresca rallada
2 tomates pelados y picados
1 pimiento naranja sin pepitas y cortado
  en trozos pequeños
1 patata grande cortada en dados
200 g de ramilletes de coliflor
½ cucharadita de sal
1 cucharadita de cúrcuma
1 cucharadita de comino molido
1 cucharadita de cilantro molido
1 cucharadita de garam masala
200 ml de caldo de verduras o agua
150 ml de yogur natural
150 ml de nata líquida
25 g de cilantro fresco picado
arroz recién cocido, para acompañar

Caliente la manteca en una cazuela grande a fuego medio y sofría las cebollas y el ajo 3 minutos, removiendo con frecuencia. Añada la guindilla y el jengibre, y sofría la mezcla 4 minutos más. Agregue los tomates, el pimiento, la patata, la coliflor, la sal y las especias, y sofríalo todo 3 minutos, removiendo. Vierta el caldo y llévelo a ebullición. Cuézalo a fuego lento 25 minutos.

Incorpore el yogur y la nata, y cuézalo todo 5 minutos más sin que llegue a hervir, removiendo con frecuencia. Añada el cilantro y caliéntelo bien.

Sirva el plato acompañado de arroz cocido.

4 personas | preparación: 15 min, más 1 h de refrigeración | cocción: 12–15 min

quenefas de espinacas y ricotta

INGREDIENTES

1 kg de espinacas frescas, sin los tallos duros
350 g de queso ricotta
115 g de queso parmesano recién rallado
3 huevos batidos ligeramente
una pizca de nuez moscada recién rallada
115-175 g de harina, y un poco más
  para espolvorear
sal y pimienta

MANTEQUILLA A LAS FINAS HIERBAS
115 g de mantequilla
2 cucharadas de orégano fresco picado
2 cucharadas de salvia fresca picada

Lave las espinacas e introdúzcalas sin escurrir en una cazuela. Tápelas y cuézalas a fuego lento de 6 a 8 minutos, hasta que se marchiten. Escúrralas bien y déjelas enfriar.

Exprima las espinacas para extraer la mayor cantidad posible de líquido y píquelas bien o tritúrelas en un robot de cocina. Páselas a un bol y añada la ricotta, la mitad del parmesano, los huevos, la nuez moscada y sal y pimienta al gusto. Bata todos los ingredientes para que se mezclen bien. Tamice 115 g de harina e incorpórela con cuidado a la mezcla. Añada más si es necesario, hasta obtener una consistencia de masa. Cubra el bol con film transparente y deje reposar la masa en el frigorífico 1 hora.

Con las manos enharinadas, forme bolas de masa del tamaño de una nuez. Manipúlelas lo menos posible porque son delicadas. Espolvoree las quenefas con un poco de harina.

Lleve a ebullición una cazuela grande con agua y un poco de sal. Cueza las quenefas 2 o 3 minutos, hasta que emerjan a la superficie. Retírelas con una espumadera, escúrralas bien y resérvelas.

Mientras tanto, prepare la mantequilla a las finas hierbas: derrita la mantequilla a fuego lento en una sartén grande de fondo pesado; sofría el orégano y la salvia 1 minuto, removiendo con frecuencia; añada las quenefas y remueva con cuidado para que se impregnen. Sírvalas de inmediato en una fuente caliente con el parmesano restante esparcido por encima.

4 personas | preparación: 20 min, más 10 min de enfriamiento | cocción: 1 h 15 min

pastel de verduras y avellanas

INGREDIENTES

2 cucharadas de aceite de girasol, y un poco
más para engrasar el molde
1 cebolla picada
1 diente de ajo bien picado
2 tallos de apio picados
1 cucharada de harina
200 ml de passata de tomate
115 g de pan integral del día rallado
2 zanahorias ralladas
115 g de avellanas tostadas y molidas
1 cucharada de salsa de soja oscura
2 cucharadas de cilantro fresco picado
1 huevo ligeramente batido
sal y pimienta

Precaliente el horno a 180°C. Engrase y forre
un molde para pan de 450 g.

Caliente el aceite a fuego medio en una sartén de
fondo pesado. Sofría la cebolla, removiendo con
frecuencia, durante 5 minutos o hasta que esté
tierna. Añada el ajo y el apio y sofríalo todo, removiendo a menudo, durante 5 minutos. Agregue a
continuación la harina y sofríalo todo 1 minuto
más, sin dejar de remover. Incorpore poco a poco
la passata y prosiga la cocción, removiendo
constantemente, hasta que se espese. Aparte
la cazuela del fuego.

Introduzca en un bol el pan rallado, las zanahorias,
las avellanas, la salsa de soja y el cilantro. Añada el
sofrito y remueva bien. Deje enfriar un poco la mezcla, incorpore el huevo, bata y salpimiente al gusto.

Pase la mezcla al molde preparado y alise la
superficie. Cubra el molde con papel de aluminio
y hornee el pastel durante 1 hora. Si va a servirlo
caliente, desmolde el pastel sobre una fuente
calentada previamente y sírvalo de inmediato.
También puede dejarlo enfriar dentro del molde.

VARIANTE

Si lo desea, también puede
cocer el pastel en un molde
redondo y servirlo en
porciones triangulares.

4 personas | preparación: 10 min | cocción: 45 min

coliflor al horno

INGREDIENTES
500 g de coliflor dividida en ramilletes
600 g de patatas cortadas en dados
100 g de tomates cherry

SALSA
25 g de mantequilla o margarina
1 puerro cortado en rodajas
1 diente de ajo majado
3 cucharadas de harina
300 ml de leche
85 g de quesos variados rallados, por ejemplo
cheddar, parmesano y gruyer
½ cucharadita de pimentón
2 cucharadas de perejil fresco picado,
y un poco más para decorar
sal y pimienta

Precaliente el horno a 180°C. Lleve a ebullición una cazuela grande con agua y sal y cueza la coliflor durante 10 minutos. Mientras tanto, ponga a hervir otra cazuela con agua y sal y cueza las patatas durante 10 minutos. Una vez terminada la cocción, escurra las verduras y resérvelas.

Para preparar la salsa, derrita la mantequilla en una cazuela grande, añada el puerro y el ajo,

y sofríalos a fuego lento durante 1 minuto. Agregue la harina y fríala también durante 1 minuto, removiendo constantemente. Aparte la cazuela del fuego e incorpore poco a poco la leche, 55 g de queso, el pimentón y el perejil. Ponga la cazuela de nuevo en el fuego y lleve la salsa a ebullición, sin dejar de remover. Salpimiéntela al gusto.

Pase la coliflor y los tomates a una fuente refractaria honda y disponga las patatas encima. Vierta la salsa y esparza el queso restante por la superficie.

Cueza el plato en el horno precalentado durante 20 minutos o hasta que las hortalizas estén bien hechas y el queso se dore y burbujee. Decore el plato con perejil picado y sírvalo de inmediato.

VARIANTE
Si lo desea, puede sustituir la coliflor por brécol. También se puede optar por una mezcla de brécol y coliflor, y disfrutar de la combinación de colores.

4–6 personas | preparación: 10 min | cocción: 1 h 5 min

tomate y cebolla
al horno con huevos

INGREDIENTES

50 g de mantequilla, y un poco más para engrasar
2 cebollas grandes cortadas en rodajas muy finas
500 g de tomates pelados y cortados en rodajas
115 g de pan blanco del día rallado
4 huevos
sal y pimienta

Precaliente el horno a 180°C. Mientras el horno
se calienta, engrase una fuente refractaria.

Derrita 3 cucharadas de mantequilla en una sartén
de fondo pesado a fuego lento y sofría las cebollas, removiendo con frecuencia, durante 5 minutos o hasta que estén tiernas.

Disponga las cebollas, los tomates y el pan en la
fuente preparada y salpimiente cada capa de hortalizas. Esparza la mantequilla restante por encima.
Cocine el plato en el horno durante 40 minutos.

Saque la fuente del horno y haga 4 huecos en la
mezcla con el dorso de una cuchara. Casque 1 huevo en cada agujero y vuelva a introducir la fuente en
el horno. Déjela 15 minutos más o hasta que los
huevos estén hechos. Sirva el plato inmediatamente.

VARIANTE

Para hacer el plato más sabroso,
trocee 2 pimientos rojos sin pepi-
tas y añádalos a las cebollas una
vez tiernas. Sofríalos 10 minutos
y agregue una pizca de cayena.

4 personas | preparación: 15 min | cocción: 40 min

crumble de coliflor

INGREDIENTES

1 coliflor cortada en ramilletes

2 cucharadas de aceite de girasol

25 g de harina

350 ml de leche

325 g de maíz tierno dulce en conserva escurrido

2 cucharadas de perejil fresco picado

1 cucharadita de tomillo fresco picado

140 g de queso cheddar rallado

sal y pimienta

COBERTURA

50 g de harina integral

25 g de mantequilla

25 g de copos de avena

25 g de almendras blanqueadas picadas

Precaliente el horno a 190°C. Ponga a hervir una cazuela grande llena de agua con un poco de sal y cueza la coliflor durante 5 minutos. Escúrrala bien y reserve el agua de la cocción. Caliente el aceite en una cazuela a fuego medio y fría la harina 1 minuto, removiendo constantemente. Aparte la cazuela del fuego e incorpore poco a poco la leche y 150 ml del agua de cocción reservada. Vuelva a poner en el fuego la cazuela y llévela a ebullición, sin dejar de remover. Cueza la salsa, removiendo, durante 3 minutos o hasta que se espese. Aparte la cazuela del fuego.

Agregue el maíz, el perejil, el tomillo y la mitad del queso, salpimiéntela al gusto y mézclela bien. Añada la coliflor y pase la mezcla a una fuente refractaria.

Para preparar la cobertura, introduzca la harina y la mantequilla en un bol y mézclalas con las yemas de los dedos hasta que la masa adquiera una consistencia desmigada. Agregue la avena, las almendras y el queso restante y esparza la mezcla de forma uniforme por encima de las verduras. Hornee el crumble durante 30 minutos y sírvalo de inmediato.

VARIANTE

Para introducir colores variados en la receta, sustituya la mitad de la coliflor por brécol verde fresco.

4–6 personas | preparación: 20 min, más 10 min de reposo | cocción: 45 min

cazuela de hortalizas

INGREDIENTES

unos 125 ml de aceite de oliva

2 cebollas grandes cortadas en rodajas muy finas

4 dientes de ajo grandes majados

300 g de berenjenas cortadas en dados de 1 cm

**300 g de calabacines amarillos y verdes cortados
  en dados de 1 cm**

1 pimiento rojo grande sin pepitas y picado

1 pimiento amarillo grande sin pepitas y picado

1 pimiento verde grande sin pepitas y picado

2 ramitas de tomillo fresco

1 hoja de laurel

1 ramita pequeña de romero fresco joven

100 ml de caldo de verduras

**450 g de tomates grandes y jugosos pelados,
  sin pepitas y picados**

sal y pimienta

**albahaca fresca o ramitas de orégano,
  para decorar**

Caliente 2 cucharadas de aceite a fuego medio en una cazuela refractaria grande. Sofría las cebollas, removiendo con frecuencia, durante 5 minutos o hasta que estén tiernas, pero sin que lleguen a dorarse. Añada el ajo y sofríalo 1 minuto, removiendo. Reduzca el fuego al mínimo.

Caliente una sartén a fuego vivo hasta que desprenda calor. Sofría los dados de berenjena formando una sola capa con 1 cucharada del aceite restante y sin dejar de remover, hasta que se doren un poco por todos los lados. Páselos a la cazuela.

Caliente otra cucharada de aceite en la sartén. Fría los calabacines, removiendo, hasta que se dore un poco toda la superficie. Páselos a la cazuela. Finalmente, caliente otra cucharada de aceite y sofría los pimientos, sin dejar de remover, hasta que estén tiernos. Páselos a la cazuela.

Agregue a la cazuela el tomillo, el laurel, el romero, el caldo y sal y pimienta al gusto y llévelo todo a ebullición. Tape la cazuela y cueza el guiso a fuego muy lento, removiendo de vez en cuando, durante 20 minutos o hasta que las verduras estén tiernas.

Aparte la cazuela del fuego e incorpore los tomates. Tape la cazuela y resérvela durante 10 minutos para que los tomates se ablanden. Sírvala de inmediato, o deje que se enfríe y guárdela en el frigorífico hasta el día siguiente, decorada con ramitas de albahaca u orégano.

4 personas | preparación: 15 min | cocción:
2 h 15 min–2 h 30 min

judías a la provenzal

INGREDIENTES

350 g de judías pintas secas, puestas
  en remojo durante una noche
2 cucharadas de aceite de oliva
2 cebollas cortadas en rodajas
2 dientes de ajo bien picados
1 pimiento rojo sin pepitas y cortado en rodajas
1 pimiento amarillo sin pepitas y en rodajas
400 g de tomates troceados en conserva
2 cucharadas de tomate concentrado
1 cucharada de hojas de albahaca
  fresca desmenuzadas
2 cucharaditas de tomillo fresco picado
2 cucharaditas de romero fresco picado
1 hoja de laurel
50 g de aceitunas negras deshuesadas
  y cortadas por la mitad
sal y pimienta
2 cucharadas de perejil picado, para decorar

Escurra las judías. Introdúzcalas en una cazuela
grande, cúbralas con agua fría y llévela a ebullición.
Tape la cazuela y cueza las judías a fuego lento
entre una hora y cuarto y una hora y media, hasta
que estén tiernas. Escúrralas y reserve 300 ml del
agua de cocción.

Caliente el aceite en una cazuela de fondo pesado a
fuego medio. Fría las cebollas, removiendo con frecuencia, durante 5 minutos o hasta que estén tiernas. Añada el ajo y los pimientos, y sofríalos también
durante 10 minutos, removiendo de vez en cuando.

Agregue los tomates, junto con el líquido de la conserva, el agua de cocción reservada, el tomate concentrado, la albahaca, el tomillo, el romero, el laurel y
las judías. Salpimiente. Tape la cazuela y cuézalo a
fuego lento 40 minutos. Añada las aceitunas y cuézalo 5 minutos más. Sirva el plato inmediatamente
en una fuente caliente espolvoreado con el perejil.

CONSEJO

*Para preparar las judías, siga
siempre las instrucciones del
envase. Si emplea judías
Borlotti o rojas, cuézalas a
fuego vivo 15 minutos antes
de cocerlas a fuego lento.*

4 personas | preparación: 20 min | cocción: 1 h 15 min

chile con verduras

INGREDIENTES

1 berenjena cortada en rodajas de 2,5 cm

1 cucharada de aceite de oliva, y un poco más
   para untar las verduras

1 cebolla roja o amarilla grande bien picada

2 pimientos rojos o amarillos sin pepitas
   y bien picados

3-4 dientes de ajo bien picados o majados

800 g de tomates troceados en conserva

1 cucharada de guindilla en polvo suave

½ cucharadita de comino molido

½ cucharadita de orégano seco

2 calabacines pequeños cortados en cuartos
   a lo largo, y a continuación, en rodajas

400 g de judías rojas en conserva escurridas
   y lavadas

450 ml de agua

1 cucharada de tomate concentrado

6 cebolletas bien picadas

115 g de queso cheddar rallado

sal y pimienta

Unte las rodajas de berenjena con aceite por un lado. Caliente la mitad del aceite en una sartén grande de fondo pesado a fuego medio. Ase las rodajas de berenjena, con la cara engrasada hacia arriba, durante 5 o 6 minutos o hasta que se doren. Deles la vuelta, dórelas por el otro lado y páselas a un plato. A continuación, córtelas en dados.

Caliente el aceite restante en una cazuela grande a fuego medio. Sofría la cebolla y los pimientos, removiendo con frecuencia, 3 o 4 minutos o hasta que la cebolla esté tierna. Añada el ajo y sofríalo todo 2 o 3 minutos más, removiendo a menudo, hasta que la cebolla empiece a tomar color.

Agregue los tomates, la guindilla en polvo, el comino y el orégano, y salpimiente al gusto. Lleve la mezcla a ebullición y a continuación reduzca el fuego, tape la cazuela y cuézalo todo a fuego lento 15 minutos.

Añada a la cazuela los calabacines, los trozos de berenjena, las judías, el agua y el tomate concentrado y llévelo todo de nuevo a ebullición. Reduzca el fuego, tape la cazuela y cuézalo todo a fuego lento durante 45 minutos más o hasta que las hortalizas estén tiernas. Pruébelas y corrija de sal y pimienta si es necesario.

Sirva el plato en boles calientes, con cebolletas y queso por encima.

CONSEJO

*Si prefiere evitar el tono
morado de la piel de las
berenjenas, pélelas antes
de cortarlas en rodajas.*

6 personas | preparación: 20 min | cocción: 1 h 40 min–2 h

cazuela de tres judías con guindilla a la mexicana

INGREDIENTES
140 g de cada de judías negras, blancas
  y pintas secas puestas en remojo con agua
  en boles separados durante una noche
2 cucharadas de aceite de oliva
1 cebolla grande bien picada
2 pimientos rojos sin pepitas y cortados en dados
2 dientes de ajo bien picados
½ cucharadita de semillas de comino machacadas
1 cucharadita de semillas de cilantro machacadas
1 cucharadita de orégano seco
½–2 cucharaditas de guindilla en polvo
3 cucharadas de tomate concentrado
800 g de tomates en conserva troceados
1 cucharadita de azúcar
1 cucharadita de sal
600 ml de caldo de verduras
3 cucharadas de cilantro fresco picado

Escurra las judías y páselas a sendas cazuelas llenas de agua fría. Lleve el agua a ebullición y cueza las judías a fuego vivo de 10 a 15 minutos y después a fuego lento entre 35 y 45 minutos, hasta que estén tiernas. Escúrralas y resérvelas.

Caliente el aceite en una cazuela a fuego medio. Sofría la cebolla y los pimientos 5 minutos, o hasta que estén tiernos, removiendo con frecuencia.

Añada el ajo, las semillas y el orégano, y sofríalos, removiendo, durante 30 segundos o hasta que el ajo tome color. Agregue la guindilla y el tomate concentrado, y sofríalo todo 1 minuto, sin dejar de remover. Añada las judías y los ingredientes restantes, salvo el cilantro, y llévelos a ebullición. Tape y prosiga la cocción a fuego lento, removiendo de vez en cuando, durante 45 minutos.

Incorpore el cilantro y sirva el plato de inmediato en boles individuales calentados previamente.

4 personas | preparación: 20 min | cocción: 50 min–1 h

musaca de verduras

INGREDIENTES
unos 125 ml de aceite de oliva
1 cebolla picada
4 tallos de apio picados
1 diente de ajo bien picado
400 g de tomates troceados en conserva
300 g de lentejas verdes en conserva
2 cucharadas de perejil fresco picado
1 berenjena grande cortada en rodajas
sal y pimienta

COBERTURA
25 g de mantequilla
25 g de harina
300 ml de leche
una pizca de nuez moscada recién rallada
1 huevo
50 g de queso parmesano recién rallado

Precaliente el horno a 180°C. Caliente 1 cucharada de aceite en una sartén a fuego medio. Sofría la cebolla, removiendo con frecuencia, durante 5 minutos o hasta que esté tierna. Añada el apio, el ajo, el perejil y los tomates y las lentejas con sus jugos. Salpimiente la mezcla al gusto, tape la cazuela y cuézala a fuego lento, removiendo de vez en cuando, durante 15 minutos o hasta que se espese.

Mientras tanto, caliente un poco de aceite en una sartén grande de fondo pesado. Dore por los dos lados las rodajas de berenjena, por tandas si es necesario; añada más aceite si se absorbe. Retire la berenjena con una espumadera y escúrrala sobre papel de cocina. Disponga una capa en una fuente refractaria, añada la mezcla de lentejas y tomate y acabe con otra capa de berenjena.

Para preparar la cobertura, lleve a ebullición la mantequilla, la harina y la leche en una cazuela a fuego lento/medio, batiendo constantemente. Sazone la salsa con sal, pimienta y nuez moscada al gusto. Aparte la cazuela del fuego, deje reposar un poco la salsa e incorpore el huevo. Vierta la salsa sobre las berenjenas, esparza por encima el parmesano y cocine la musaca en el horno de 30 a 40 minutos, hasta que la superficie se dore. Sírvala de inmediato.

VARIANTE
Para preparar la versión
tradicional del plato, que
incluye carne, sustituya las
lentejas por 350 g de carne
picada de cordero y dore las
cebollas 10 minutos.

4 personas | preparación: 10 min, más 30 min de remojo | cocción: 40 min

lasaña de verduras

INGREDIENTES

40 g de boletos secos

2 cucharadas de aceite de oliva

1 cebolla bien picada

400 g de tomates troceados en conserva

50 g de mantequilla, y un poco más para engrasar

**450 g de champiñones cortados en láminas
  muy finas**

1 diente de ajo bien picado

1 cucharada de zumo de limón

½ cucharadita de mostaza de Dijon

¾ de la receta de salsa de queso

6 láminas de pasta para lasaña no precocinadas

50 g de queso parmesano recién rallado

sal y pimienta

Precaliente el horno a 200°C y engrase ligeramente una fuente refractaria. Ponga los boletos en remojo con agua hirviendo 30 minutos en un bol refractario pequeño. Mientras tanto, caliente el aceite en una sartén pequeña a fuego medio y sofría la cebolla, removiendo con frecuencia, durante 5 minutos o hasta que esté tierna. Añada los tomates y sofríalos también, removiendo de vez en cuando, durante 7 u 8 minutos. Salpimiente el sofrito al gusto y resérvelo.

Escurra los boletos y córtelos en rodajas. Derrita la mitad de la mantequilla en una sartén grande de fondo pesado a fuego medio y sofría los boletos y los champiñones, sin dejar de remover, hasta que empiecen a soltar sus jugos. Reduzca el fuego al mínimo, añada el ajo y el zumo, y salpimiente al gusto. Prosiga la cocción, removiendo de vez en cuando, hasta que se evapore casi todo el líquido.

Mezcle la mostaza con la salsa de queso y extienda una capa de salsa en el fondo de la fuente. Disponga encima una capa de láminas de pasta, cúbralas con las setas y añada otra capa de salsa, otra de lasaña, a continuación el sofrito y finalmente otra capa de salsa. Esparza por encima el queso parmesano y la mantequilla restante.

Hornee la lasaña durante 20 minutos. Una vez hecha, déjela reposar 5 minutos antes de servirla.

CONSEJO

En vez de rallar el queso parmesano, pruebe a hacer virutas con un cuchillo para pelar verduras. Así la cobertura tendrá una consistencia diferente.

5

Las ensaladas son algo más que un plato de verano: con la amplia oferta actual de vegetales de sabores y texturas diferentes, se puede disfrutar de ellas durante todo el año. Las hortalizas de hoja combinan muy bien con los quesos, por eso, en esta selección hemos conjugado el toque picante de la rúcula con unas lonchas de mozzarella ahumada y una crujiente lechuga con un queso parmesano rallado.

ENSALADAS

Pero los ingredientes de ensalada tradicionales son sólo el punto de partida. En estas páginas encontrará hortalizas y frutos secos en originales combinaciones, como los calabacines con piñones, la remolacha con nueces pacanas o las judías verdes con nueces. Asimismo, la fruta introduce un toque muy sugestivo en recetas como la exuberante *Ensalada de naranja con hinojo* o la refrescante *Ensalada de piña y pepino*.

4 personas | preparación: 15 min

ensalada griega

INGREDIENTES

4 tomates cortados en cuñas

1 cebolla cortada en rodajas

½ pepino cortado en rodajas

225 g aceitunas de Kalamata deshuesadas

225 g de queso feta cortado en dados

2 cucharadas de hojas de cilantro fresco

ramitas de perejil fresco, para decorar

pan de pita, para acompañar

VINAGRETA

5 cucharadas de aceite de oliva virgen extra

2 cucharadas de vinagre de vino blanco

1 cucharada de zumo de limón

½ cucharadita de azúcar

1 cucharada de cilantro fresco picado

sal y pimienta

Para preparar la vinagreta, introduzca todos los ingredientes en un bol grande y mézclelos bien.

A continuación, agregue los tomates, la cebolla, el pepino, las aceitunas, el queso y el cilantro. Mezcle todos los ingredientes y repártalos en boles individuales. Decore cada bol con unas ramitas de perejil y sírvalos con pan de pita.

4–6 personas | preparación: 10 min, más 3 h 30 min de refrigeración | cocción: 10 min

ensalada árabe de calabacín

INGREDIENTES

unas 4 cucharadas de aceite de oliva

1 diente de ajo grande cortado por la mitad

500 g de calabacines pequeños cortados en rodajas finas

50 g de piñones

50 g de pasas

3 cucharadas de hojas de menta fresca bien picadas (que no sea menta verde ni piperita)

unas 2 cucharadas de zumo de limón, o al gusto

sal y pimienta

Caliente el aceite en una sartén grande a fuego medio. Añada el ajo y sofríalo durante 5 minutos o hasta que se dore, para aromatizar el aceite. Retírelo con una espumadera y deséchelo. Agregue los calabacines y fríalos, removiendo con frecuencia, durante 5 minutos, o hasta que empiecen a estar tiernos. Retírelos de inmediato con una espumadera e introdúzcalos en la ensaladera.

Añada los piñones, las pasas, la menta, el zumo de limón y sal y pimienta al gusto y remueva con cuidado para mezclar bien los ingredientes. Pruebe la ensalada y, si lo cree necesario, añada más aceite, zumo de limón, sal y pimienta.

Deje enfriar completamente la ensalada, cubra la ensaladera con film transparente y déjela en el frigorífico como mínimo 3 horas y media. Finalmente, saque la ensalada del frigorífico 10 minutos antes de servirla.

CONSEJO

Esta ensalada queda mejor con calabacines jóvenes y tiernos de menos de 2,5 cm de grosor. Si son más grandes y viejos, córtelos por la mitad o en cuartos a lo largo y después en rodajas finas.

4 personas | preparación: 5 min | cocción: 15 min

patatas tibias con salsa pesto

INGREDIENTES
450 g de patatas nuevas pequeñas
3 cucharaditas de salsa pesto
25 g de queso parmesano recién rallado
sal y pimienta

Lleve a ebullición una cazuela grande con agua con sal. Introduzca las patatas y cuézalas durante 15 minutos o hasta que estén tiernas. Cuando estén cocidas, escúrralas, páselas a una ensaladera y déjelas enfriar un poco.

Añada la salsa pesto y sal y pimienta al gusto y mézclelas bien con las patatas. Esparza por encima el queso parmesano y sirva la ensalada tibia.

4 personas | preparación: 15 min

ensalada de tomates secados al sol con mozzarella

INGREDIENTES

**140 g de tomates secados al sol en aceite de
oliva (peso una vez escurridos), con el aceite
reservado aparte**

15 g de albahaca fresca desmenuzada

15 g de perejil fresco picado grueso

1 cucharada de alcaparras lavadas

1 cucharada de vinagre balsámico

1 diente de ajo picado grueso

más aceite de oliva, si es necesario

**100 g de hojas de ensalada variadas,
como lechuga hoja de roble, espinacas mini
y rúcula**

500 g de mozzarella ahumada cortada en lonchas

pimienta

Introduzca en un robot de cocina los tomates
secados al sol, la albahaca, el perejil, las alcaparras, el vinagre y el ajo. Mida el aceite reservado
del tarro de tomates secados al sol y añada más
aceite de oliva, si es necesario, hasta llegar a los
150 ml. Vierta el aceite en el robot de cocina y triture todos los ingredientes hasta obtener una mezcla homogénea. Sazónela con pimienta al gusto.

Reparta los vegetales de ensalada entre 4 platos
individuales. Esparza la mozzarella por encima y
vierta la vinagreta. Sirva los platos de inmediato.

VARIANTE

*Sustituya la mozzarella por
Taleggio o un queso de
cabra blando.*

4 personas | preparación: 15 min | cocción: 10–15 min

ensalada italiana

INGREDIENTES

225 g de caracolas

50 g de piñones

350 g de tomates cherry cortados por la mitad

**1 pimiento rojo sin pepitas y cortado
  en dados**

1 cebolla roja picada

**200 g de mozzarella de búfala cortada
  en trozos pequeños**

12 aceitunas negras deshuesadas

25 g de hojas de albahaca fresca

**virutas de queso parmesano recién cortadas,
  para decorar**

VINAGRETA

5 cucharadas de aceite de oliva virgen extra

2 cucharadas de vinagre balsámico

1 cucharada de albahaca fresca picada

sal y pimienta

Lleve a ebullición una cazuela grande llena de agua con un poco de sal. Añada las caracolas, deje que hierva el agua de nuevo y cueza la pasta entre 8 y 10 minutos, hasta que esté *al dente*. Escúrrala, refrésquela debajo del grifo y vuelva a escurrirla. A continuación, déjela enfriar.

Mientras tanto, caliente una sartén sin aceite a fuego lento, agregue los piñones y tuéstelos entre 1 y 2 minutos, hasta que se doren un poco. Sacuda la sartén con frecuencia. Retire los piñones del fuego, páselos a un plato y déjelos enfriar.

Para preparar la vinagreta, introduzca todos los ingredientes en un bol pequeño y mézclelos bien. Cubra el bol con film transparente y reserve la vinagreta hasta que vaya a utilizarla.

Para presentar la ensalada, reparta la pasta entre 4 boles individuales. Añada los piñones, los tomates, el pimiento rojo, la cebolla, el queso y las aceitunas. Esparza por encima la albahaca y, a continuación, aderece con vinagreta cada uno de los boles. Decórelos con las virutas de queso parmesano y sírvalos.

4 personas | preparación: 10 min | cocción: 15 min

ensalada de pasta
con pimientos asados

INGREDIENTES

1 pimiento rojo

1 pimiento naranja

280 g de caracolas

5 cucharadas de aceite de oliva virgen extra

2 cucharadas de zumo de limón

2 cucharadas de salsa pesto

1 diente de ajo majado

3 cucharadas de hojas de albahaca fresca
 desmenuzadas

sal y pimienta

Precaliente el grill a temperatura media/alta. Ponga los pimientos en una bandeja de horno y áselos debajo del grill durante 15 minutos o hasta que se chamusque la piel de toda la superficie. Deles la vuelta con frecuencia. Una vez hechos, páselos a un bol, cúbralos con papel de cocina y resérvelos.

Lleve a ebullición una cazuela grande con agua y un poco de sal. Hierva la pasta entre 8 y 10 minutos o hasta que esté *al dente*.

Mezcle el aceite, el zumo de limón, la salsa pesto y el ajo en un bol grande, y bata bien todos los ingredientes. Escurra la pasta y, antes de que se enfríe, añádala al bol de la salsa. Remueva bien y resérvela.

Cuando los pimientos se enfríen un poco, pélelos, córtelos por la mitad y deseche las semillas. Trocéelos y añádalos a la pasta con la albahaca. Salpimiente al gusto y mezcle bien todos los ingredientes. Sirva la ensalada a temperatura ambiente.

VARIANTE

También puede preparar de la misma forma una ensalada más tradicional sin pasta. Cuando los pimientos lleven 10 minutos debajo del grill, añada 4 tomates y áselos 5 minutos más. Cubra los pimientos con papel de cocina y, a continuación, pélelos y trocéelos. Pele y trocee también los tomates. Mezcle ambos con la vinagreta y decore la ensalada con aceitunas negras.

4 personas | preparación: 5 min | cocción: 5 min

ensalada agripicante de fideos

INGREDIENTES

350 g de fideos vermicelli de arroz

4 cucharadas de aceite de sésamo

3 cucharadas de salsa de soja

el zumo de 2 limas

1 cucharadita de azúcar

4 cebolletas cortadas en rodajas finas

1–2 cucharaditas de salsa de guindilla picante

2 cucharadas de cilantro fresco picado

Prepare los fideos, siguiendo las instrucciones del envase. Escúrralos, páselos a un bol y mézclelos con la mitad del aceite.

En un bol aparte, mezcle el aceite restante con la salsa de soja, el zumo, el azúcar, las cebolletas y la salsa de guindilla. Mezcle la vinagreta con los fideos.

Esparza por encima el cilantro y sirva la ensalada.

4 personas | preparación: 15 min, más 1 h de refrigeración | cocción: 5 min

ensalada de coliflor con aceitunas

INGREDIENTES
1 coliflor grande
225 g de aceitunas negras deshuesadas y picadas
2 pimientos picados
2 tomates (opcional)

VINAGRETA
175 ml de aceite vegetal
3 cucharadas de vinagre de vino blanco
1 diente de ajo majado
sal y pimienta

Separe la coliflor en ramilletes. Lleve a ebullición una cazuela grande con agua con sal, añada la coliflor y cuézala durante 5 minutos o hasta que esté tierna. Escúrrala bien.

Mezcle la coliflor, las aceitunas y los pimientos en un bol grande. Si desea añadir tomates a la ensalada, córtelos en cuartos, deseche las pepitas y trocéelos. Mézclelos con los demás ingredientes.

Introduzca los ingredientes de la vinagreta en un tarro con tapa de rosca y agítelo bien. Vierta la vinagreta sobre la ensalada y remueva con cuidado. A continuación, cubra el bol con film transparente y déjelo reposar en el frigorífico por lo menos 1 hora.

Saque la ensalada 10 minutos antes de servirla. Remueva un poco más y sírvala en una fuente.

4 personas | preparación: 15 min, más 20 min de enfriamiento | cocción: 20 min

ensalada César

INGREDIENTES

1 diente de ajo cortado por la mitad

1 lechuga romana con las hojas separadas

50 g de queso parmesano rallado grueso

2 huevos duros (opcional)

PICATOSTES AL AJO

3 cucharadas de aceite de oliva

1 diente de ajo grande cortado por la mitad

4 rebanadas de pan integral sin corteza

 y cortado en dados

ALIÑO

1 huevo (o 1 cucharada de crème fraîche)

1 cucharadita de salsa Worcestershire vegetariana

2 cucharadas de zumo de limón

2 cucharaditas de mostaza de Dijon

2 cucharadas de aceite de oliva

sal y pimienta

Precaliente el horno a 190°C. Para tostar los picatostes, caliente el aceite y el ajo en una cazuela
pequeña a fuego lento durante 5 minutos. Aparte la
cazuela del fuego y deseche el ajo. Introduzca los
dados de pan en un bol, vierta el aceite y remueva
para que se impregnen bien. Hornéelos en el horno
precalentado durante 10 minutos o hasta que estén
crujientes. Retírelos del horno y déjelos enfriar.

Para preparar el aliño, introduzca el huevo en una
cazuela con agua, llévela a ebullición y cueza el huevo durante 1 minuto. Retírelo con una espumadera.
Casque el huevo dentro de un bol y añada la clara
que quede adherida a la cáscara. Incorpore la salsa
Worcestershire, el zumo de limón, la mostaza y el
aceite, salpimiente al gusto y bátalo todo bien.

Frote el interior de una ensaladera con el diente
de ajo cortado por la mitad y deséchelo. Introduzca las hojas de lechuga en la ensaladera y esparza
por encima el queso parmesano. Añada los huevos duros, si lo desea. Rocíe la ensalada con el
aliño y esparza por encima los picatostes al ajo.
Remuévala en la mesa y sírvala.

VARIANTE

*Antes de tostar los picatostes
en el horno, puede añadir al
aceite una pizca de cayena y
1 cucharadita de pimentón.*

CONSEJO

*Si han de consumir la
ensalada niños, enfermos o
embarazadas, sustituya el
huevo del aliño por crème
fraîche y añada huevos
duros cortados en cuartos.*

4 personas | preparación: 15 min, más 4 h de refrigeración

ensalada de remolacha y frutos secos

INGREDIENTES

3 remolachas cocidas ralladas

3 cucharadas de vinagre de vino tinto o de fruta

2 manzanas ácidas, por ejemplo Granny Smith

2 cucharadas de zumo de limón

ALIÑO

4 cucharadas de yogur natural

4 cucharadas de mayonesa

1 diente de ajo picado

1 cucharada de eneldo fresco picado

sal y pimienta

PARA SERVIR

**4 puñados generosos de hojas de ensalada
  variadas**

**4 cucharadas de nueces pacanas partidas
  por la mitad**

Introduzca la remolacha en un recipiente que no sea metálico y rocíela con el vinagre. Cubra el recipiente con film transparente y deje reposar la remolacha en el frigorífico durante por lo menos 4 horas.

Descorazone las manzanas y córtelas en rodajas. Luego, páselas a una fuente y rocíelas con el zumo de limón para que no pierdan su color.

Para preparar el aliño, mezcle los ingredientes en un bol pequeño. Saque la remolacha del frigorífico y aliñela. Añada las manzanas y mezcle los ingredientes para que se impregnen bien.

Para servir la ensalada, disponga un puñado de hojas de ensalada en cada plato y coloque encima una cucharada grande de la mezcla de manzana y remolacha.

Caliente una sartén sin aceite a fuego medio, añada las nueces pacanas y tuéstelas durante 2 minutos o hasta que empiecen a dorarse, sacudiendo la sartén con frecuencia. Espárzalas por encima de la ensalada y sírvala de inmediato.

4 personas | preparación: 15 min

ensalada de berza

INGREDIENTES

½ **berza dura**

2 **zanahorias**

2 **manzanas**

2 **tallos de apio**

3 **cebolletas**

150 ml **de mayonesa**

150 ml **de yogur natural**

1 **cucharadita de mostaza**

2 **cucharadas de zumo de limón**

40 g **de pasas (opcional)**

40 g **de nueces (opcional)**

Corte la berza en tiras finas y ralle las zanahorias.
Descorazone las manzanas y córtelas en rodajas.
Luego, corte en juliana el apio y las cebolletas.
Finalmente, introduzca todos los ingredientes en
una ensaladera grande.

Mezcle la mayonesa y el yogur en un bol pequeño.
Agregue la mostaza con el zumo de limón y salpimiente generosamente.

Añada las pasas y las nueces a la ensaladera,
si desea incluirlas en la receta. Aliñe la ensalada
y remueva bien.

Sirva el plato inmediatamente.

2 raciones como entrante o 4 como guarnición | preparación: 10 min, más 30 min de refrigeración | cocción: 5 min

ensalada de judías verdes con nueces

INGREDIENTES
450 g de judías verdes

1 cebolla pequeña bien picada

1 diente de ajo picado

**4 cucharadas de queso parmesano recién rallado,
y algo más para decorar**

**2 cucharadas de nueces o almendras picadas,
para decorar**

VINAGRETA
6 cucharadas de aceite de oliva

2 cucharadas de vinagre de vino blanco

2 cucharaditas de estragón fresco picado

sal y pimienta

Corte las puntas de las judías, pero no las trocee. Lleve a ebullición una cazuela llena de agua con sal y cueza las judías entre 3 y 4 minutos. Escúrralas bien, enfríelas debajo del grifo y escúrralas de nuevo. Páselas a una ensaladera grande y agregue la cebolla, el ajo y el queso.

Introduzca los ingredientes de la vinagreta en un tarro con tapa de rosca y agítelo bien. Aliñe la ensalada y remueva bien. Seguidamente, cubra la ensaladera con film y déjela en el frigorífico por lo menos 30 minutos.

Saque la ensaladera del frigorífico 10 minutos antes de servir el plato. Remueva un poco las judías y los demás ingredientes y páselos a una fuente llana.

Caliente una sartén sin aceite a fuego medio y tueste las nueces durante 2 minutos o hasta que empiecen a dorarse. Sacuda la sartén con frecuencia. Por último, decore la ensalada con las nueces y el queso parmesano y sírvala de inmediato.

6 personas | preparación: 15 min

ensalada de rúcula y aguacate

INGREDIENTES

1 escarola roja o verde cortada en tiras
½ escarola rizada cortada en tiras
1 puñado pequeño de berros o mizuna
1 puñado de rúcula desmenuzada
1 cebolla roja cortada en aros finos
2 naranjas
1 aguacate
50 g de nueces picadas gruesas

ALIÑO

6 cucharadas de aceite de oliva
1 cucharada de aceite de nuez
3 cucharadas de zumo de limón recién exprimido
2 cucharadas de zumo de naranja recién
  exprimido
1 cucharadita de ralladura fina de naranja
1 cucharadita de mostaza de Dijon
una pizca de azúcar
sal y pimienta

CONSEJO

Después de lavar los vegetales de ensalada, séquelos siempre bien con un centrifugador. Si son delicados, séquelos con cuidado con papel de cocina o un paño.

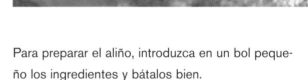

Para preparar el aliño, introduzca en un bol pequeño los ingredientes y bátalos bien.

Introduzca en una ensaladera las escarolas, los berros y la rúcula. Separe los aros de cebolla y páselos al bol. Con un cuchillo afilado, pele las naranjas y corte las membranas para separar los gajos, de modo que vayan cayendo en la ensaladera junto con el jugo que desprendan.

Pele, deshuese y trocee el aguacate, y añádalo a la ensalada. Alíñela y remueva bien para que se impregnen todos los ingredientes. Esparza por encima las nueces y sirva la ensalada de inmediato.

VARIANTE

Si prefiere suavizar el sabor de los frutos secos, sustituya las nueces por 50 g de piñones tostados.

4 personas | preparación: 15 min

ensalada de aguacate con salsa de lima

INGREDIENTES

60 g de hojas variadas de lechuga roja y verde

60 g de rúcula silvestre

4 cebolletas cortadas en rodajas finas

5 tomates cortados en rodajas

25 g de nueces tostadas y picadas

2 aguacates

1 cucharada de zumo de limón

VINAGRETA DE LIMA

1 cucharada de zumo de lima

1 cucharadita de mostaza

1 cucharada de crème fraîche

1 cucharada de perejil o cilantro frescos picados

3 cucharadas de aceite de oliva virgen extra

una pizca de azúcar

sal y pimienta

Lave y escurra la lechuga y la rúcula, si es necesario. Desmenúcelas e introdúzcalas en el fondo de una ensaladera grande. A continuación, añada las cebolletas, los tomates y las nueces.

Pele, deshuese los aguacates y después córtelos en rodajas finas. Úntelos con zumo de limón para que no se ennegrezcan y páselos a la ensaladera. Mezcle con cuidado todos los ingredientes.

Para preparar la vinagreta, introduzca todos los ingredientes en un tarro con tapa de rosca y agítelo bien. Finalmente, aliñe la ensalada y sírvala de inmediato.

4 personas | preparación: 15 min

ensalada de naranja con hinojo

INGREDIENTES

4 naranjas de zumo grandes

1 bulbo de hinojo grande en rodajas muy finas

1 cebolla blanca suave cortada en rodajas finas

2 cucharadas de aceite de oliva virgen extra

12 aceitunas negras grandes deshuesadas
 y cortadas en rodajas finas

1 guindilla fresca sin pepitas y cortada
 en rodajas muy finas (opcional)

perejil fresco bien picado

pan de barra, para acompañar

Ralle fina la piel de las naranjas en un bol y reserve la ralladura. Trabajando encima del bol para que caiga en él el jugo, retire toda la parte blanca de las naranjas con un cuchillo de sierra pequeño. Córtelas en rodajas finas en sentido horizontal.

Mezcle la naranja cortada con las rodajas de hinojo y cebolla en un bol grande. Bata el aceite con el zumo de naranja reservado y vierta la salsa sobre las naranjas. Esparza por encima las rodajas de aceituna, añada la guindilla (si lo desea) y espolvoree la ensalada con la ralladura de naranja y el perejil. Sírvala acompañada de pan.

VARIANTES

Las naranjas sanguinas, de color granate, dan al plato un aspecto espectacular. Por otra parte, la jugosa uva negra es una interesante alternativa a las aceitunas.

4 personas | preparación: 20 min

ensalada de piña y pepino

INGREDIENTES
1 pepino
1 piña natural pequeña
1 cebolla roja cortada en rodajas finas
1 puñado de berros

ALIÑO
3 cucharadas de zumo de limón
2 cucharadas de salsa de soja
1 cucharadita de azúcar
1 cucharadita de salsa de guindilla
2 cucharadas de menta fresca picada

Pele el pepino y córtelo en cuartos a lo largo.
Retire las semillas con una cucharilla y deséche-
las. A continuación, corte cada cuarto en trozos
de 1 cm de grosor y páselos a un bol grande.

Pele la piña y córtela también en cuartos longitudinalmente. Retire el corazón y deséchelo. Corte
cada cuarto por la mitad a lo largo y, seguidamente, en trozos de 1 cm de grosor. Añada la piña al
pepino y mézclelos con la cebolla y los berros.

Para preparar el aliño, bata todos los ingredientes
en un bol pequeño.

Aliñe la ensalada y remuévala bien. Por último,
pase la ensalada a una fuente y sírvala de
inmediato.

6

No hay nada más apetitoso para las papilas gustativas que el contraste entre una masa crujiente y sabrosa y un suave relleno de verduras tiernas, enriquecido con un queso fundido o unos deliciosos huevos, o incluso ambos. Igual de irresistible resulta una pizza recién salida del horno, con una base crujiente pero esponjosa y una cobertura de sabores intensos y textura cremosa.

TARTAS, PASTELES Y PIZZAS

Escoja entre una amplia variedad de masas distintas, desde una sustanciosa pasta quebrada hasta un ligero hojaldre o una crujiente pasta filo. O pruebe las insólitas *Tartaletas de queso y nueces*. Si busca una receta realmente especial, opte por el *Gougère con champiñones*, envuelto en pasta de lionesas. Igualmente deliciosa resulta la esponjosa cobertura del *Pastel de hortalizas de invierno*.

4 personas | preparación: 30 min, más 45 min de enfriamiento
a temperatura ambiente y refrigeración | cocción: 1 h

tarta de hortalizas de primavera

INGREDIENTES

MASA

250 g de harina, y un poco más para espolvorear

una pizca de sal

125 g de mantequilla fría cortada en dados,
 y un poco más para engrasar

50 g de queso parmesano rallado

1 huevo

agua muy fría

RELLENO

300 g de hortalizas de primavera variadas,
 por ejemplo zanahorias, espárragos, guisantes,
 habas, cebollas, maíz y puerros

300 ml de nata espesa

125 g de queso cheddar curado rallado

2 huevos y 3 yemas de huevo

un puñado de estragón y perejil picados

sal y pimienta

Engrase un molde desmontable de 25 cm de diámetro. Tamice la harina y la sal, y páselas a un
robot de cocina. Agregue la mantequilla, tritúrelo
todo hasta que la mezcla adquiera una consistencia desmigada, pásela a un bol y añada el queso.
En otro bol, mezcle el huevo con el agua y agregue
casi toda la mezcla a la masa. Forme una masa
blanda con un cuchillo de hoja plana o con los
dedos; añada más huevo con agua si es necesario.
Pase la masa a una superficie enharinada, extiéndala de forma que sea 8 cm más grande que el
molde y fórrelo con ella. Pase el rodillo por encima
del molde para retirar la masa sobrante. Forre la
masa con papel parafinado y llénela de judías
secas. Déjela en el frigorífico 30 minutos. Mientras
tanto, precaliente el horno a 200°C.

Hornee la tarta 15 minutos. Retire el papel y las
judías secas y cueza la tarta en el horno otros 5 minutos. Sáquela y déjela enfriar. Reduzca la temperatura a 180°C.

Prepare las hortalizas según se requiera en cada
caso y córtelas en dados. Lleve a ebullición una
cazuela grande llena de agua con un poco de sal
y escalde las hortalizas durante 2 minutos. Escúrralas y déjelas enfriar. Introduzca la nata en otra
cazuela y llévela a ebullición. Entre tanto, mezcle en
un bol refractario el queso, los huevos enteros y
las yemas, y vierta la mezcla en la cazuela con la
nata caliente. Agregue las hierbas, salpimiente la
crema al gusto y mézclelo todo. Disponga las hortalizas en el molde, vierta la crema de queso por
encima y hornee la tarta entre 30 y 40 minutos,
hasta que esté hecha. Déjela enfriar en el molde
10 minutos antes de servirla.

CONSEJO

*Para esta tarta, utilice sólo
hortalizas jóvenes y muy
tiernas. Si son muy pequeñas, no las trocee. También
puede añadir unas lonchas
de queso de cabra fresco
antes de hornear la tarta.*

4 personas | preparación: 40 min, más 1 h de enfriamiento a temperatura
ambiente y refrigeración | cocción: 1 h 15 min

quiche de setas y cebolla

INGREDIENTES
mantequilla para engrasar
1 masa de pasta quebrada muy fría
harina, para espolvorear

RELLENO
50 g de mantequilla
3 cebollas rojas cortadas por la mitad
 y en rodajas
350 g de setas silvestres variadas, como
 boletos, rebozuelos y colmenillas
2 cucharaditas de tomillo fresco picado
1 huevo
2 yemas de huevo
100 ml de nata espesa
sal y pimienta

Precaliente el horno a 190°C. Engrase ligeramente
un molde de quiche desmontable de 23 cm de
diámetro. Extienda la masa en una superficie ligeramente enharinada y forre el molde con ella. Cubra
la masa con papel parafinado y llénela de judías
secas. Déjela reposar en el frigorífico 30 minutos y
hornéela durante 25 minutos. Retire el papel y las
judías, y deje que la masa se enfríe en una rejilla.
Reduzca la temperatura a 180°C.

Para preparar el relleno, derrita la mantequilla en
una sartén grande de fondo pesado a fuego muy
lento. Haga sudar las cebollas durante 20 minutos, con la cazuela tapada y removiendo de vez en
cuando. Añada las setas y el tomillo, y prosiga la
cocción 10 minutos más, removiendo de vez en
cuando. Reparta la mezcla sobre la masa.

Bata el huevo, las yemas y la nata en un bol, salpimiente la mezcla y viértala sobre las setas. Hornee
la quiche 20 minutos o hasta que esté bien hecha y
dorada. Sírvala caliente o a temperatura ambiente.

CONSEJO
Si no dispone de tiempo,
use pasta quebrada
preparada. Si la compra
congelada, asegúrese de
descongelarla bien.

VARIANTE
También puede preparar esta
quiche con otras setas,
como shiitake, champiñones
silvestres o setas de ostra.

4 personas | preparación: 15 min | cocción: 25 min

pastel de patata, fontina y romero

INGREDIENTES
1 masa de hojaldre
harina, para espolvorear

RELLENO
3–4 patatas cerosas
300 g de queso fontina cortado en dados
1 cebolla roja cortada en rodajas finas
3 ramitas grandes de romero fresco
2 cucharadas de aceite de oliva
1 yema de huevo
sal y pimienta

Precaliente el horno a 190°C. Extienda la masa en una superficie ligeramente enharinada, forme un círculo de 25 cm de diámetro y páselo a una bandeja de horno.

Pele las patatas y córtelas en rodajas lo más finas posibles, casi transparentes (ayúdese de una mandolina, si dispone de una). Coloque las rodajas en espiral, superpuestas, de forma que cubran toda la masa menos un borde de 2 cm.

Coloque el queso y la cebolla sobre las patatas, esparza el romero por encima y rocíe la superficie con aceite. Salpimiente el pastel al gusto y pinte los bordes con yema de huevo para glasearlos.

Por último, hornee el pastel durante 25 minutos o hasta que las patatas estén tiernas y la masa, dorada y crujiente.

4 personas | preparación: 30 min | cocción: 1 h

pastel de espinacas

INGREDIENTES
mantequilla, para engrasar
2 masas de pasta quebrada muy frías
harina, para espolvorear
1 huevo batido ligeramente, para glasear

RELLENO
450 g de espinacas congeladas, descongeladas
2 cucharadas de aceite de oliva
1 cebolla grande picada
2 dientes de ajo bien picados
2 huevos batidos ligeramente
225 g de queso ricotta
50 g de queso parmesano recién rallado
una pizca de nuez moscada recién rallada
sal y pimienta

Precaliente el horno a 200°C. Para preparar el relleno, escurra las espinacas y extraiga la mayor cantidad de agua posible. Caliente el aceite en una sartén grande de fondo pesado a fuego medio y sofría la cebolla 5 minutos o hasta que esté tierna. Añada el ajo y las espinacas y prosiga la cocción, removiendo de vez en cuando, durante 10 minutos. Aparte la cazuela del fuego y deje enfriar un poco el sofrito. A continuación, incorpore los huevos y los quesos, y bátalo todo bien. Sazónelo con sal, pimienta y nuez moscada al gusto.

Engrase ligeramente un molde desmontable de 23 cm de diámetro. Extienda dos tercios de la masa sobre una superficie ligeramente enharinada y forre con ella el molde, dejando que sobresalga un poco de masa por el borde. Reparta de forma uniforme el sofrito de espinacas por el fondo.

Extienda la masa restante sobre una superficie ligeramente enharinada y córtela en tiras de 5 mm de ancho. Disponga las tiras en forma de rejilla sobre la tarta y presione los extremos para fijarlos. Corte la masa sobrante y, a continuación, pinte las tiras con huevo y hornee la tarta durante 45 minutos o hasta que se dore bien. Antes de desmoldarla, pásela a una rejilla para que se enfríe un poco.

CONSEJO
Cuando prepare la masa, extiéndala de dentro a fuera, en una sola dirección. Para obtener un grosor uniforme, vaya girándola a medida que va pasando el rodillo.

12 tartaletas | preparación: 30 min, más 30 min de refrigeración | cocción: 40 min

tartaletas de queso y nueces

INGREDIENTES

MASA CON NUECES

225 g de harina, y un poco más para espolvorear
una pizca de sal de apio
100 g de mantequilla fría cortada en dados,
**   y un poco más para engrasar**
25 g de nueces picadas
agua muy fría

RELLENO
25 g de mantequilla
2 tallos de apio bien picados
1 puerro pequeño bien picado
200 ml de nata espesa, más 2 cucharadas
**   adicionales**
200 g de queso Stilton
3 yemas de huevo
sal y pimienta
perejil fresco, para decorar

Engrase ligeramente un molde para 12 magdalenas de 7,5 cm. Tamice la harina junto con la sal de apio y páselas a un robot de cocina. Añada la mantequilla y tritúrelo todo hasta que la masa adquiera una consistencia desmigada. Pase la masa a un bol grande y añada las nueces y un poco de agua fría, lo suficiente como para ligar la masa. A continuación, coloque la masa en una superficie ligeramente enharinada y divídala en dos trozos. Extienda el primero y corte 6 círculos de 9 cm de diámetro. Seguidamente, extienda cada círculo hasta que alcance los 12 cm de diámetro y páselos al molde. Repita la operación con la masa restante. Forre cada hueco con papel parafinado y llénelo de judías secas. Deje el molde en el frigorífico 30 minutos y, mientras tanto, precaliente el horno a 200°C.

Hornee las tartaletas durante 10 minutos. Sáquelas del horno y retire el papel y las judías.

Para preparar el relleno, derrita la mantequilla en una sartén a fuego lento/medio y sofría el apio y el puerro, removiendo de vez en cuando, durante 15 minutos, hasta que estén muy tiernos. Añada 2 cucharadas de nata y el queso desmenuzado y mézclelo todo bien. Salpimiente la mezcla al gusto. Vierta el resto de la nata en una cazuela y llévela a ebullición. Mézclela con las yemas en un bol refractario sin parar de remover, agregue el sofrito con el queso y rellene las tartaletas con la mezcla. Hornéelas 10 minutos, gire el molde y déjelas cocer 5 minutos más. Deje que se enfríen dentro del molde otros 5 minutos y sírvalas decoradas con perejil.

4–6 personas | preparación: 10 min, más 10 min de reposo | cocción: 45–50 min

tarta de cebolla caramelizada

INGREDIENTES
100 g de mantequilla
600 g de cebollas cortadas en rodajas finas
2 huevos
100 ml de nata espesa
100 g de queso gruyer rallado
1 base de tarta precocinada de 20 cm de diámetro
100 g de queso parmesano rallado grueso
sal y pimienta

Derrita la mantequilla en una sartén de fondo pesado a fuego medio. Añada las cebollas y sofríalas, removiendo con frecuencia para que no se quemen, durante 30 minutos o hasta que estén bien doradas y caramelizadas. Retírelas de la sartén y resérvelas.

Precaliente el horno a 190°C. Bata los huevos en un bol grande, incorpore la nata y salpimiente la mezcla al gusto. Añada el gruyer y mézclelo todo bien. Finalmente, incorpore las cebollas caramelizadas.

A continuación, introduzca la mezcla de huevo y cebolla en la base precocinada y esparza por encima el queso parmesano. Hornee la tarta entre 15 y 20 minutos, hasta que el relleno esté hecho y ligeramente dorado.

Saque la tarta del horno y déjela reposar por lo menos 10 minutos. Puede servirse caliente o dejarse enfriar y servirse a temperatura ambiente.

4 personas | preparación: 20 min, más 10 min
de enfriamiento | cocción: 1 h

gougère con champiñones

INGREDIENTES

PASTA DE LIONESAS

70 g de harina blanca fuerte

una pizca de sal

50 g de mantequilla, y un poco más para engrasar

150 ml de agua

2 huevos

50 g de queso emmental rallado

RELLENO

2 cucharadas de aceite de oliva

1 cebolla picada

**225 g de champiñones rubios cortados
en láminas**

2 dientes de ajo bien picados

1 cucharada de harina

150 ml de caldo de verduras

85 g de nueces picadas

2 cucharadas de perejil fresco picado

sal y pimienta

Precaliente el horno a 200°C. Para preparar la masa, tamice la harina junto con la sal y espárzalas sobre papel encerado. Introduzca la mantequilla y el agua en una cazuela y derrita la mantequilla a fuego medio, pero sin que el agua llegue a hervir. Añada la harina de inmediato y bata la mezcla vigorosamente con una cuchara de madera hasta que adquiera una textura homogénea y se desprenda de los laterales de la cazuela. Apártela del fuego y déjela enfriar 10 minutos. A continuación, agregue poco a poco los huevos y bata hasta obtener una textura homogénea y brillante. Incorpore finalmente el queso. Engrase una fuente refractaria redonda y reparta la masa por el interior de la pared del molde.

Para preparar el relleno, caliente el aceite en una sartén grande de fondo pesado a fuego medio. Sofría la cebolla, removiendo con frecuencia, durante 5 minutos o hasta que esté tierna. Agregue los champiñones y el ajo, y prosiga la cocción durante 2 minutos, removiendo al mismo tiempo. Sofría también la harina 1 minuto, removiendo constantemente. Acto seguido, vierta el caldo poco a poco, llévelo a ebullición, removiendo constantemente, y cueza la mezcla 3 minutos o hasta que se espese. Reserve 2 cucharadas de nueces y añada el resto a la sartén junto con el perejil. Salpimiente la mezcla al gusto.

Vierta el relleno en el centro del molde y esparza por encima las nueces restantes. Hornee la tarta durante 40 minutos o hasta que la masa suba y se dore. Sirva el gougère de inmediato.

4 personas | preparación: 30 min | cocción: 40 min

pastel de hortalizas de invierno

INGREDIENTES

1 cucharada de aceite de oliva

1 diente de ajo majado

8 cebollas pequeñas cortadas por la mitad

2 tallos de apio cortados en rodajas

225 g de colinabo picado

2 zanahorias cortadas en rodajas

½ coliflor pequeña dividida en ramilletes

225 g de champiñones cortados en láminas

400 g de tomates troceados en conserva

**50 g de lentejas rojas partidas lavadas
   y escurridas**

2 cucharadas de fécula de maíz

3-4 cucharadas de agua

300 ml de caldo de verduras

2 cucharaditas de salsa Tabasco

**2 cucharaditas de orégano fresco picado,
   y unas ramitas más para decorar**

COBERTURA

225 g de harina de fuerza

una pizca de sal

4 cucharadas de mantequilla

115 g de queso cheddar curado rallado

2 cucharaditas de orégano fresco picado

1 huevo batido ligeramente

150 ml de leche

VARIANTE

*Si lo desea, sustituya la
coliflor por brécol y el
colinabo picado por nabo.*

Precaliente el horno a 180°C. Caliente el aceite en una sartén grande a fuego lento y sofría el ajo y las cebollas 5 minutos, removiendo con frecuencia. Añada el apio, el colinabo, las zanahorias y la coliflor y prosiga la cocción 2 o 3 minutos más, removiendo. Agregue a continuación los champiñones, los tomates y las lentejas.

Introduzca la fécula de maíz y el agua en un bol y bátalos hasta obtener una masa homogénea. Añádala a la sartén, junto con el caldo, la salsa Tabasco y el orégano picado. Finalmente, pase la mezcla a una fuente refractaria, cúbrala con papel de aluminio y métala en el horno 20 minutos.

Mientras tanto, prepare la cobertura. Tamice la harina y la sal en un bol. Añada la mantequilla y mézclela con la harina con las yemas de los dedos hasta que la masa adquiera una consistencia desmigada. Agregue la mayor parte del queso y el orégano. En un bol pequeño, bata el huevo con la leche y añada a la masa sólo lo necesario para que adquiera una textura blanda. Extiéndala en una superficie ligeramente enharinada, amásela un poco y extiéndala de nuevo, de forma que tenga un grosor de 1 cm. Corte círculos de 5 cm de diámetro.

Saque la fuente del horno y suba la temperatura a 200°C. Disponga los círculos de masa en el borde de la fuente, píntelos con huevo y leche, y esparza el resto del queso por encima. Hornee el pastel de 10 a 12 minutos más y sírvalo decorado con orégano.

6–8 personas | preparación: 20 min, más 40 min de refrigeración, enfriamiento y reposo | cocción: 40 min

pastel de puerros y espinacas

INGREDIENTES
1 masa de hojaldre
harina, para espolvorear
2 cucharadas de mantequilla
2 puerros cortados en rodajas finas
225 g de hojas de espinacas frescas picadas
2 huevos
300 ml de nata espesa
una pizca de tomillo seco
sal y pimienta

Extienda la masa en una superficie ligeramente enharinada, formando un rectángulo de unos 25 x 30 cm. Déjela reposar 5 minutos y pásela a un molde de 20 x 25 cm, presionándola contra las paredes y el fondo, y dejando que sobresalga un poco por el borde. Cubra el molde y déjelo en el frigorífico mientras prepara el relleno.

Precaliente el horno a 180°C. Derrita la mantequilla en una sartén grande a fuego medio. Sofría los puerros, removiendo con frecuencia, durante 5 minutos o hasta que estén tiernos. Añada las espinacas y sofríalas 3 minutos, removiendo a menudo, hasta que se mustien. Deje enfriar el sofrito.

Bata los huevos en un bol. Incorpore la nata, el tomillo y sal y pimienta al gusto. A continuación, extienda las hortalizas por el fondo del molde y vierta la mezcla de huevo. Hornee el pastel 30 minutos o hasta que esté hecho. Déjelo reposar 10 minutos antes de servirlo directamente en el molde.

6 personas | preparación: 25 min, más 45 min de enfriamiento a temperatura ambiente y refrigeración | cocción: 1 h 30 min

pastel de lentejas, chalotes y champiñones

INGREDIENTES
175 g de lentejas de Puy o verdes
2 hojas de laurel
6 chalotes cortados en rodajas
1,25 l de caldo de verduras
50 g de mantequilla
225 g de arroz de grano largo
8 láminas de pasta filo descongeladas
2 cucharadas de perejil fresco picado
2 cucharaditas de hinojo o ajedrea frescos
picados
4 huevos, 1 batido y 3 duros, cortados en rodajas
225 g de champiñones silvestres cortados
en láminas
sal y pimienta

Precaliente el horno a 190°C. Introduzca las lentejas, el laurel y la mitad de los chalotes en una cazuela grande de fondo pesado. Añada la mitad del caldo, llévelo a ebullición y deje cocer a fuego lento durante 25 minutos o hasta que las lentejas estén tiernas. Aparte la cazuela del fuego, salpimiente las lentejas al gusto y déjelas enfriar completamente.

Derrita la mitad de la mantequilla en una cazuela de fondo pesado a fuego medio y sofría el resto de los chalotes, removiendo con frecuencia, durante 5 minutos o hasta que estén tiernos. Agregue el arroz y fríalo 1 minuto, removiendo constantemente, y vierta el caldo restante. Salpimiéntelo al gusto y llévelo a ebullición. A continuación, reduzca el fuego, tape la cazuela y prosiga la cocción a fuego lento durante 15 minutos. Pasado ese tiempo, aparte la cazuela del fuego y deje que los ingredientes se enfríen por completo.

Derrita la mantequilla restante a fuego lento y engrase ligeramente una fuente refractaria. Disponga las láminas de pasta filo en la fuente, de forma que sobresalgan por el borde (servirán para tapar el pastel). Unte cada lámina de pasta con mantequilla derretida. Por otra parte, añada a la mezcla de arroz el perejil y el hinojo, a continuación incorpore el huevo batido y mézclelo todo bien. Disponga en la fuente capas de arroz, huevo duro, lentejas y champiñones, y salpimiente cada capa al gusto. Finalmente, cubra el pastel con las láminas de pasta dobladas, úntelo con mantequilla derretida y déjelo en el frigorífico 15 minutos. Hornéelo durante 45 minutos y déjelo reposar otros 10 antes de servirlo.

4 personas | preparación: 20 min | cocción: 1 h 10 min

verduras con patata al gratén

INGREDIENTES
1 zanahoria cortada en dados
175 g de coliflor en ramilletes
175 g de brécol en ramilletes
1 bulbo de hinojo cortado en rodajas
85 g de judías verdes cortadas por la mitad
25 g de mantequilla
25 g de harina
150 ml de caldo de verduras
150 ml de vino blanco seco
150 ml de leche
**175 g de champiñones rubios cortados
 en cuartos**
2 cucharadas de salvia fresca picada

COBERTURA
900 g de patatas harinosas cortadas en dados
25 g de mantequilla
4 cucharadas de yogur natural
70 g de queso parmesano recién rallado
1 cucharadita de semillas de hinojo
sal y pimienta

Precaliente el horno a 190°C. Lleve a ebullición
una cazuela grande llena de agua con sal y cueza
la zanahoria, la coliflor, el brécol, el hinojo y las
judías durante 10 minutos o hasta que todos los
ingredientes estén tiernos. Escúrralos y resérvelos.

Derrita la mantequilla en una cazuela a fuego lento
y fría la harina 1 minuto, removiendo constantemente. Aparte la cazuela del fuego y vierta el caldo, el vino y la leche. A continuación, lleve la salsa
a ebullición y cuézala hasta que se espese, sin
dejar de remover. Agregue las hortalizas reservadas, los champiñones y la salvia.

Para preparar la cobertura, lleve a ebullición una
cazuela grande llena de agua y cueza las patatas
entre 10 y 15 minutos, hasta que estén tiernas.
Escúrralas, páselas de nuevo a la cazuela y agregue la mantequilla, el yogur y la mitad del queso.
Seguidamente, triture las patatas con un pasapurés o un tenedor y añada las semillas de hinojo y
sal y pimienta al gusto.

Pase las hortalizas a una fuente de un litro de capacidad, esparza por encima el puré de patatas y luego el queso restante. Hornee el pastel de 30 a 35
minutos, hasta que se dore, y sírvalo de inmediato.

CONSEJO
*Para que la cobertura quede
especialmente cremosa, antes
de añadir el queso al puré de
patatas bátalo durante 1 o
2 minutos con una batidora.*

4 personas | preparación: 20 min, más 40 min de refrigeración | cocción: 50 min

empanadas de queso y hortalizas

INGREDIENTES

MASA INTEGRAL

225 g de harina integral

una pizca de sal

100 g de mantequilla cortada en dados,
y un poco más para engrasar

4 cucharadas de agua muy fría

2 cucharadas de leche, para glasear

RELLENO

25 g de mantequilla

1 cebolla picada

125 g de patatas picadas

100 g de zanahorias picadas

25 g de judías verdes picadas

100 ml de agua

2 cucharadas de maíz en conserva escurrido

1 cucharada de perejil fresco picado

60 g de queso cheddar rallado

sal y pimienta

hojas de ensalada, para acompañar

Para preparar la masa, tamice la harina y la sal en un bol grande. Añada la mantequilla y mézclela con la harina con las yemas de los dedos hasta que la masa adquiera una consistencia desmigada. Añada el agua y mézclelo todo con un cuchillo de hoja plana o con las yemas de los dedos hasta obtener una masa blanda. Forme una bola, envuélvala en papel de aluminio y déjela en el frigorífico 40 minutos.

Para preparar el relleno, derrita la mantequilla en una cazuela grande a fuego lento. Sofría la cebolla, las patatas y las zanahorias, removiendo con frecuencia, durante 5 minutos. Añada las judías y el agua. Llévelo a ebullición y cuézalo todo a fuego lento

15 minutos. Escurra las hortalizas, enfríelas bajo el grifo y vuélvalas a escurrir. Deje que se enfríen.

Mientras tanto, precaliente el horno a 200°C. Engrase una bandeja de horno, divida la masa en cuatro y extienda sobre una superficie ligeramente enharinada 4 círculos de 15 cm de diámetro. Mezcle las hortalizas con el maíz, el perejil, el queso y sal y pimienta al gusto, y extienda la mezcla sobre la mitad de cada círculo. Pinte los bordes con agua, dóblelos por la mitad y presione para cerrarlos. Pase las empanadas a la bandeja y pinte la superficie con leche para glasearlas. Hornéelas 30 minutos, hasta que se doren, y sírvalas calientes acompañadas de ensalada.

2 personas | preparación: 10 min | cocción: 15–20 min

pizza de queso y tomate

INGREDIENTES

1 base de pizza de 25 cm de diámetro

COBERTURA

6 tomates cortados en rodajas finas

175 g de mozzarella cortada en lonchas finas

2 cucharadas de hojas de albahaca fresca desmenuzadas

2 cucharadas de aceite de oliva, y un poco más para engrasar la bandeja

sal y pimienta

Precaliente el horno a 230°C. Unte con aceite una bandeja de horno y coloque en ella la base de pizza.

Para preparar la cobertura, coloque las rodajas de tomate y las lonchas de mozzarella sobre la base, alternando unas con otras. Salpimiente al gusto, esparza la albahaca por encima y rocíe la pizza con aceite.

Hornee la pizza entre 15 y 20 minutos, hasta que el queso se funda y la masa esté crujiente. Sírvala de inmediato.

2 personas | preparación: 25 min | cocción: 35–40 min

pizza siciliana

INGREDIENTES

2 bases de pizza de 25 cm de diámetro

SALSA DE TOMATE

200 g de tomates troceados en conserva

5 cucharadas de passata de tomate

1 diente de ajo bien picado

1 hoja de laurel

½ cucharadita de orégano seco

½ cucharadita de azúcar

1 cucharadita de vinagre balsámico

sal y pimienta

COBERTURA

1 berenjena cortada en rodajas finas

**2 cucharadas de aceite de oliva, y un poco
más para engrasar la bandeja**

175 g de mozzarella cortada en lonchas

50 g de aceitunas negras marinadas deshuesadas

1 cucharada de alcaparras lavadas

4 cucharadas de queso parmesano recién rallado

Precaliente el horno a 200°C. Mientras tanto,
engrase con aceite 2 bandejas de horno. Para
preparar la salsa de tomate, introduzca todos los
ingredientes en una cazuela de fondo pesado y
llévelos a ebullición. A continuación, cueza la salsa
a fuego lento, removiendo de vez en cuando,
durante 20 minutos o hasta que se reduzca y
espese. Aparte la cazuela del fuego, deseche la
hoja de laurel y deje enfriar la salsa.

Unte las rodajas de berenjena con aceite y dispóngalas en una de las bandejas preparadas.
Áselas durante 5 minutos, deles la vuelta y déjelas
en el horno entre 5 y 10 minutos más. Una vez
asadas, déjelas sobre papel de cocina para que

escurran el aceite. Aumente la temperatura del
horno a 220°C y vuelva a engrasar la bandeja
con aceite.

Ponga una base de pizza en cada bandeja y reparta la salsa de tomate entre ellas, extendiéndola
casi hasta el borde. Coloque encima las rodajas
de berenjena y a continuación la mozzarella, las
aceitunas, las alcaparras y el queso parmesano.
Hornee las pizzas entre 15 y 20 minutos o hasta
que se doren y sírvalas de inmediato.

CONSEJO

*Para un resultado excep-
cional, utilice mozzarella
elaborada con leche de
búfala, una variedad con
un sabor y una textura
insuperables.*

VARIANTE

*Si le gustan las pizzas
con frutos secos, sustituya
las alcaparras por 25 g
de piñones.*

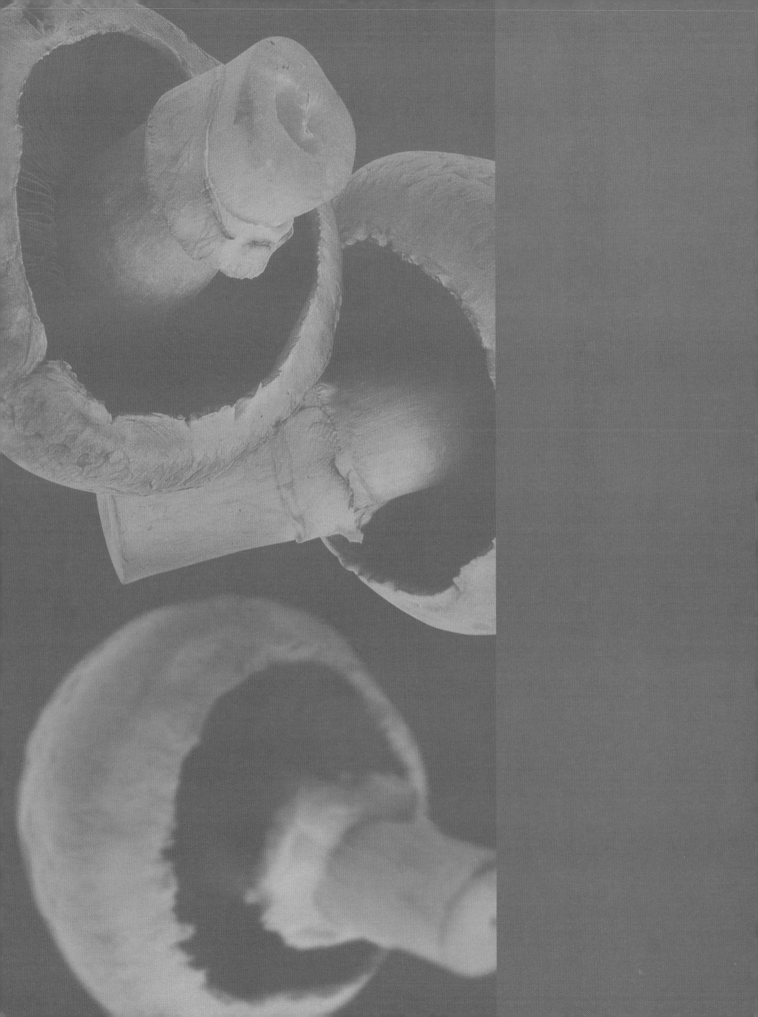

7

Las guarniciones van más allá de unas simples patatas, aunque este es un acompañamiento que siempre triunfa, sobre todo si se consigue el punto ideal y quedan doradas y crujientes. En estas páginas aprenderá a preparar unas magníficas patatas asadas. Y a continuación podrá comprobar sus progresos con otra receta a base de patata: el pastel de patata rallada conocido como rösti.

GUARNICIONES

Descubra nuevas formas de preparar platos clásicos como las *Coles de Bruselas con castañas* (una guarnición ideal para un asado con frutos secos); los *Espárragos asados,* con aceite de oliva y queso parmesano; las *Judías verdes con piñones* y el *Salteado de brécol*. El arroz también se verá realzado en estas páginas, con la ayuda de un azafrán dorado y especias dulces o una sabrosa hierba de limón y una cremosa leche de coco.

6 personas | preparación: 10 min | cocción: 15 min

champiñones salteados con ajo

INGREDIENTES

450 g de champiñones
5 cucharadas de aceite de oliva
2 dientes de ajo bien picados
un chorrito de zumo de limón
4 cucharadas de perejil fresco picado,
 y unas ramitas más para decorar
sal y pimienta
pan del día, para acompañar

Limpie los champiñones con un paño o un cepillo y corte los pies justo por debajo del sombrero. Corte los ejemplares grandes por la mitad o en cuartos. A continuación, caliente el aceite en una sartén grande de fondo pesado a fuego medio y sofría el ajo, removiendo, de 30 segundos a 1 minuto, hasta que se dore. Agregue los champiñones y saltéelos a fuego vivo, removiendo con frecuencia, hasta que absorban todo el aceite.

Baje el fuego al mínimo. Cuando los champiñones suelten su jugo, vuelva a avivar el fuego y sofríalos 4 o 5 minutos, removiendo a menudo, hasta que los jugos prácticamente se evaporen. Añada el zumo de limón y salpimiente los champiñones al gusto. Agregue a continuación el perejil y fríalo todo 1 minuto más.

Sirva el plato muy caliente o tibio en una fuente calentada previamente, decorado con ramitas de perejil y acompañado de pan del día para mojar.

VARIANTES

En vez de champiñones cultivados puede utilizar setas silvestres, como boletos o rebozuelos. También puede preparar de esta manera los calabacines, dorando una cebolla pequeña bien picada antes de añadir el ajo.

4 personas | preparación: 10 min | cocción: 5 min

salteado de ajo y espinacas

INGREDIENTES
6 cucharadas de aceite vegetal
6 dientes de ajo majados
2 cucharadas de salsa de judías negras
3 tomates troceados
900 g de espinacas, sin los tallos duros,
 troceadas
1 cucharadita de salsa de guindilla, o al gusto
2 cucharadas de zumo de limón recién exprimido
sal y pimienta

Caliente el aceite en un wok o una sartén grande, calentados previamente. Saltee el ajo, la salsa de judías negras y los tomates a fuego vivo durante 1 minuto.

Agregue las espinacas, la salsa de guindilla y el zumo de limón y mézclelo todo bien. Saltee todos los ingredientes, removiendo con frecuencia, durante 3 minutos o hasta que las espinacas se mustien. Salpimiente al gusto.

Finalmente, aparte la sartén del fuego y sirva la guarnición de inmediato.

8 personas | preparación: 10 min | cocción: 20 min

judías verdes con piñones

INGREDIENTES
2 cucharadas de aceite de oliva
50 g de piñones
½–1 cucharadita de pimentón
450 g de judías verdes
1 cebolla pequeña bien picada
1 diente de ajo bien picado
el zumo de ½ limón
sal y pimienta

Caliente el aceite en una sartén grande de fondo pesado a fuego medio/vivo y tueste los piñones, removiendo constantemente y sacudiendo la sartén con frecuencia, durante 1 minuto, hasta que se doren ligeramente. Retírelos con una espumadera, escúrralos bien sobre papel de cocina y a continuación páselos a un bol. Reserve el aceite en la sartén. Añada a los piñones pimentón al gusto, remuévalos para que se impregnen y resérvelos.

Córteles las puntas a las judías, introdúzcalas en una cazuela y cúbralas con agua hirviendo. Lleve de nuevo el agua a ebullición y cueza las judías 5 minutos, hasta que estén tiernas pero crujientes. Después, escúrralas bien en un colador.

Vuelva a calentar el aceite de la sartén a fuego medio y sofría la cebolla, removiendo con frecuencia, de 8 a 10 minutos, hasta que esté tierna y empiece a dorarse. Añada a continuación el ajo y siga sofriendo 30 segundos más, removiendo.

Agregue las judías y saltéelas con la cebolla 2 o 3 minutos, hasta que se calienten bien. Salpiméntelas al gusto.

Sirva las judías en una fuente caliente, rocíelas con el zumo de limón y mézclelo todo bien. Esparza por encima los piñones y sirva el plato caliente.

8 personas | preparación: 10 min | cocción: 5 h 30 min

judías al estilo de Boston

INGREDIENTES

500 g de judías blancas pequeñas puestas en
  remojo con agua durante una noche
2 cebollas picadas
2 tomates grandes pelados y picados
2 cucharaditas de mostaza americana
2 cucharadas de melaza
sal y pimienta

Precaliente el horno a 140°C. Mientras tanto,
escurra las judías y páselas a un cazo grande.
A continuación, cúbralas con agua fría y llévela
a ebullición. Reduzca el fuego y cueza las judías a
fuego lento 15 minutos. Una vez cocidas, escúrralas y reserve 300 ml del agua de cocción. Pase las
judías a una cazuela grande y añada las cebollas.

Vierta el agua de cocción reservada de nuevo
en el cazo y agregue los tomates. Lleve el agua
a ebullición y cueza los tomates a fuego lento
durante 10 minutos. Pasado ese tiempo, aparte
el cazo del fuego, incorpore la mostaza y la
melaza, y salpimiente al gusto.

Pase todos los ingredientes a la cazuela, introdúzcala en el horno y déjela cocer 5 horas. Sírvala de
inmediato.

VARIANTE

*Para preparar la versión
original con carne, añada
350 g de carne de cerdo
troceada con sal junto con
las cebollas.*

4 personas | preparación: 10 min | cocción: 5 min

brécol con mostaza

INGREDIENTES

450 g de brécol separado en ramilletes
50 g de mantequilla
50 g de pan recién rallado
1 cucharadita de mostaza en polvo
sal y pimienta
1 huevo duro, para decorar

Lleve a ebullición una cazuela grande llena de agua con sal y cueza el brécol 5 minutos o hasta que esté tierno. Una vez cocido, escúrralo, enfríelo debajo del grifo y vuélvalo a escurrir. Páselo a una fuente grande y salpimiéntelo al gusto.

Mientras tanto, derrita la mantequilla en una sartén a fuego vivo, añada el pan rallado y remueva para que se impregne bien. Fríalo 1 minuto, removiendo, hasta que esté crujiente y ligeramente dorado. Incorpore la mostaza en polvo.

Seguidamente, retire el pan rallado de la sartén y espárzalo por encima del brécol.

Pele el huevo duro, rállelo fino y espárzalo por encima del pan rallado para decorar el plato. Sírvalo caliente.

4 personas | preparación: 10 min | cocción: 6–8 min

salteado de brécol

INGREDIENTES

2 cucharadas de aceite vegetal

2 cabezas de brécol separadas en ramilletes

2 cucharadas de salsa de soja

1 cucharadita de fécula de maíz

1 cucharada de azúcar extrafino

1 cucharadita de raíz de jengibre fresca rallada

1 diente de ajo majado

una pizca de guindilla seca desmenuzada

1 cucharadita de semillas de sésamo tostadas,
para decorar

Caliente el aceite a fuego vivo en un wok o una sartén grande precalentados hasta que casi humee. Saltee el brécol entre 4 y 5 minutos, y a continuación reduzca el fuego a temperatura media.

Mezcle en un bol pequeño la salsa de soja, la fécula de maíz, el azúcar, el jengibre, el ajo y la guindilla. Añada la mezcla al brécol y sofríalo todo, removiendo constantemente, durante 2 o 3 minutos, o hasta que la salsa se espese un poco.

Para acabar, pase el salteado a una fuente calentada previamente y decórelo con las semillas de sésamo. Sírvalo de inmediato.

4 personas | preparación: 10 min | cocción: 15–20 min

coles de Bruselas con castañas

INGREDIENTES
450 g de coles de Bruselas
115 g de mantequilla
50 g de azúcar moreno
115 g de castañas asadas y peladas

Lleve a ebullición una cazuela grande llena de agua con sal a fuego vivo.

Mientras tanto, limpie las coles de Bruselas y deseche las hojas exteriores sueltas. Introduzca las coles en la cazuela con agua y cuézalas entre 5 y 10 minutos, hasta que estén tiernas, pero sin que se ablanden demasiado. Escúrralas bien, enfríelas con agua debajo del grifo y vuélvalas a escurrir. Resérvelas.

A continuación, derrita la mantequilla en una sartén de fondo pesado a fuego medio. Añada el azúcar y remueva hasta que se disuelva.

Agregue las castañas y sofríalas, removiendo de cuando en cuando, hasta que se impregnen bien de mantequilla y empiecen a dorarse.

Finalmente, pase las coles a la sartén y mézclelas bien con las castañas. Reduzca el fuego y prosiga la cocción a fuego lento, removiendo de vez en cuando, durante 3 o 4 minutos, para que se caliente todo bien.

Aparte la sartén del fuego y sirva la receta de inmediato en un plato calentado previamente.

4 personas | preparación: 10 min | cocción: 20 min

calabacines a la italiana

INGREDIENTES

2 cucharadas de aceite de oliva

1 cebolla grande picada

1 diente de ajo bien picado

5 calabacines cortados en rodajas

150 ml de caldo de verduras

1 cucharadita de mejorana fresca picada

sal y pimienta

1 cucharada de perejil fresco picado,
  para decorar

Caliente el aceite en una sartén grande de fondo pesado a fuego medio. Sofría la cebolla y el ajo, removiendo con frecuencia, durante 5 minutos o hasta que estén tiernos. Añada los calabacines y sofríalos también, removiendo a menudo, durante 3 o 4 minutos o hasta que empiecen a dorarse.

Agregue el caldo y la mejorana, y salpimiente la mezcla al gusto. Cuézalo todo a fuego lento durante 10 minutos o hasta que se haya evaporado casi todo el líquido. Pase los calabacines a un plato caliente, esparza por encima el perejil y sírvalos de inmediato.

CONSEJO

Nunca pele los calabacines, porque su valor nutritivo se halla sobre todo en la piel. Es una hortaliza con un alto contenido de vitamina C, así como de ácido fólico.

VARIANTE

También puede sustituir la mejorana y el perejil por otras hierbas frescas y así dar al plato un aroma diferente.

4 personas | preparación: 5 min | cocción: 10–15 min

espárragos asados

INGREDIENTES

450 g de espárragos

2 cucharadas de aceite de oliva virgen extra

1 cucharadita de sal marina gruesa

**1 cucharada de queso parmesano recién rallado,
 para servir**

Precaliente el horno a 200°C.

Escoja espárragos con un grosor similar y córtelos por la base, de modo que todos tengan una longitud parecida.

Disponga los espárragos en una sola capa en una bandeja metálica de horno. Rocíelos con aceite y sálelos.

Ase los espárragos en el horno entre 10 y 15 minutos; deles la vuelta una vez durante la cocción. Una vez hechos, sírvalos de inmediato en un plato caliente, con queso parmesano rallado por encima.

hortalizas asadas

INGREDIENTES

3 chirivías peladas y cortadas en trozos de 5 cm

4 nabos mini cortados en cuartos

3 zanahorias peladas y cortadas en trozos de 5 cm

**450 g de calabaza almizclera pelada y cortada
en trozos de 5 cm**

**450 g de boniatos pelados y cortados en trozos
de 5 cm**

2 dientes de ajo bien picados

2 cucharadas de romero fresco picado

2 cucharadas de tomillo fresco picado

2 cucharaditas de salvia fresca picada

3 cucharadas de aceite de oliva

sal y pimienta

**2 cucharadas de hierbas frescas variadas picadas,
por ejemplo perejil, tomillo y menta, para
decorar**

Precaliente el horno a 220°C. Disponga todas
las hortalizas preparadas en una bandeja grande
de horno. Esparza por encima el ajo y las hierbas
aromáticas.

Rocíe las hortalizas con aceite y salpiméntelas
generosamente. Mezcle bien todos los ingredientes para que se impregnen de aceite. También
puede dejarlos reposar para que absorban el aroma de las especias.

Ase las hortalizas en la parte superior del horno
de 50 minutos a 1 hora, hasta que estén hechas y
se dore la superficie. Deles la vuelta a mitad de la
cocción. Sírvalas calientes y decoradas con hierbas aromáticas frescas variadas.

VARIANTES

*Para potenciar los aromas y
las texturas del plato, añada
a las hortalizas chalotes o
cuñas de cebolla roja. Los
dientes de ajo enteros sin
pelar también quedan muy
bien con las hortalizas
asadas; al comerlas, puede
deshacer el cremoso ajo
asado y esparcirlo por
encima de las verduras.*

6 personas | preparación: 10 min | cocción: 50–55 min

patatas asadas perfectas

INGREDIENTES

**1,25 kg de patatas harinosas grandes peladas
y cortadas en trozos de igual tamaño**
3 cucharadas de aceite de oliva
sal

VARIANTE

*Las patatas nuevas pequeñas,
enteras y sin pelar, también
quedan deliciosas asadas.
No es necesario hervirlas:
simplemente úntelas con
aceite caliente y áselas entre
30 y 40 minutos. Escúrralas
bien y salpimiéntelas al gusto
antes de servirlas.*

Precaliente el horno a 220°C. Lleve a ebullición una cazuela grande llena de agua con sal y cueza las patatas entre 5 y 7 minutos, con la cazuela tapada. Deben quedar un poco duras. Aparte la cazuela del fuego.

A continuación, vierta el aceite en una bandeja de horno y caliéntelo.

Escurra bien las patatas y páselas de nuevo a la cazuela. Tápela y sacúdala con firmeza para que la superficie de las patatas se endurezca. Así quedarán mucho más crujientes.

Saque la bandeja del horno y coloque con cuidado las patatas en el aceite caliente. Báñelas con el aceite de la bandeja para que queden todas bien impregnadas.

Ase las patatas en la parte superior del horno entre 45 y 50 minutos, hasta que se doren de forma uniforme y queden bien crujientes; deles la vuelta una vez a media cocción y vaya rociándolas con aceite para que no se resequen los bordes.

Páselas con cuidado a un plato calentado previamente, sazónelas con un poco de sal y sírvalas de inmediato. Si sobran, también son deliciosas frías.

4 personas | preparación: 15 min | cocción: 1 h–1 h 30 min

boniatos caramelizados

INGREDIENTES

450 g de boniatos

50 g de mantequilla, y un poco más para engrasar

50 g de azúcar moreno, jarabe de arce o miel

2 cucharadas de zumo de naranja o piña

50 g de piña troceada (opcional)

una pizca de canela, nuez moscada o

  especias variadas molidas (opcional)

Cepille los boniatos, pero no los pele. Lleve a ebullición una cazuela grande llena de agua con sal y cueza los boniatos de 30 a 45 minutos, en función de su tamaño, hasta que estén tiernos. Aparte la cazuela del fuego y escurra bien los boniatos. Déjelos enfriar un poco y a continuación pélelos.

Precaliente el horno a 200°C. Mientras tanto, corte los boniatos en rodajas gruesas y dispóngalos en una fuente refractaria engrasada, en una sola capa pero superpuestos unos sobre otros. Corte la mantequilla en dados pequeños y repártala por encima de los boniatos.

Esparza el azúcar por encima de los boniatos y seguidamente vierta el zumo. Agregue también la piña y las especias, si decide añadirlas a la receta.

Ase los boniatos en el horno entre 30 y 40 minutos, hasta que estén dorados. Durante la cocción, rocíelos de vez en cuando con los jugos que van soltando. Sírvalos calientes.

6 personas | preparación: 10 min | cocción: 20 min

patatas bravas

INGREDIENTES

ACEITE CON GUINDILLA

150 ml de aceite de oliva

2 guindillas frescas pequeñas abiertas

1 cucharadita de pimentón picante

PATATAS

2 cucharadas de aceite de oliva

1 kg de patatas con piel cortadas en dados

mayonesa, para servir

Para preparar el aceite con guindilla, caliente el aceite y las guindillas a fuego vivo en una sartén de fondo pesado, hasta que las guindillas empiecen a chisporrotear. Aparte la sartén del fuego e incorpore el pimentón. Reserve el aceite en la sartén y déjelo enfriar. Una vez frío, introdúzcalo en una aceitera con pitorro. No lo cuele.

Caliente el aceite de oliva en una sartén grande de fondo pesado a fuego medio y sofría las patatas durante 15 minutos, removiendo de vez en cuando, hasta que estén tiernas y doradas por toda la superficie. Retírelas con una espumadera y páselas a un plato cubierto con papel de cocina para que se absorba el aceite sobrante.

Para servir las patatas, repártalas entre 6 platos y agregue una cucharada de mayonesa a cada uno. Rocíe las patatas con el aceite con guindilla y sírvalas tibias o a temperatura ambiente.

4 personas | preparación: 15 min, más 1 h de enfriamiento | cocción: 30 min

rösti

INGREDIENTES
900 g de patatas con piel
25–50 g de mantequilla o margarina
  vegetal
1–2 cucharadas de aceite de oliva
sal y pimienta

Lleve a ebullición una cazuela grande llena de
agua y cueza las patatas durante 10 minutos. Una
vez cocidas, escúrralas y déjelas enfriar completamente. A continuación, cúbralas con papel de aluminio y métalas en el frigorífico por lo menos
30 minutos.

Pele y ralle gruesas las patatas. Introduzca 25 g
de mantequilla y 1 cucharada de aceite en una
sartén de fondo pesado de 23 cm de diámetro y
derrita la mantequilla a fuego medio. Distribuya de
forma uniforme la patata rallada por la sartén,
reduzca el fuego y sofría la patata 10 minutos.

Dele la vuelta al pastel de patata con ayuda de un
plato. Agregue más mantequilla y aceite, si es
necesario, antes de deslizar con cuidado el pastel
de patata de nuevo en la sartén para que se haga
por el otro lado. Déjelo 10 minutos más, salpimiéntelo al gusto y sírvalo de inmediato.

CONSEJO
*No es imprescindible dejar
las patatas hervidas en el
frigorífico, pero así resulta
más fácil rallarlas.*

4 personas | preparación: 10 min | cocción: 25–30 min

arroz con coco oriental

INGREDIENTES

2 cucharadas de aceite vegetal

1 cebolla picada

400 g de arroz de grano largo lavado y escurrido

1 cucharada de hierba de limón recién picada

500 ml de leche de coco

400 ml de agua

6 cucharadas de coco desmenuzado tostado

Caliente el aceite en una cazuela grande a fuego lento y sofría la cebolla 3 minutos, removiendo con frecuencia. Añada el arroz y la hierba al limón, y sofríalos 2 minutos, removiendo.

Incorpore la leche de coco y el agua, y llévelo todo a ebullición. Reduzca el fuego, tape la cazuela y cuézalo todo a fuego lento de 20 a 25 minutos, hasta que se absorba todo el líquido. Si los granos de arroz no están cocidos, añada un poco más de agua y deje que cuezan hasta que estén tiernos y se absorba todo el líquido.

Aparte la cazuela del fuego y agregue la mitad del coco desmenuzado. Remueva con cuidado. Esparza el resto del coco desmenuzado por encima del arroz y sírvalo.

arroz dorado

INGREDIENTES

1 cucharadita de hebras de azafrán

2 cucharadas de agua caliente

2 cucharadas de manteca o aceite vegetal

3 cebollas picadas

3 cucharadas de mantequilla

1 cucharadita de comino molido

1 cucharadita de canela molida

1 cucharadita de sal

½ cucharadita de pimienta

½ cucharadita de pimentón

3 hojas de laurel

400 g de arroz de grano largo lavado y escurrido

unos 850 ml de caldo de verduras o agua

**100 g de anacardos partidos por la mitad
 y tostados**

Ponga las hebras de azafrán en remojo con el agua caliente en un bol pequeño.

Mientras tanto, caliente la manteca en una cazuela grande a fuego lento y sofría las cebollas 5 minutos, removiendo con frecuencia. Añada la mantequilla, el comino, la canela, la sal, la pimienta, el pimentón y el laurel, y sofríalo todo 2 minutos, sin dejar de remover. Agregue el arroz y prosiga la cocción 3 minutos más, sin dejar de remover. Finalmente añada el azafrán con el agua de remojo y el caldo. Llévelo todo a ebullición, reduzca el fuego, tape la cazuela y cuézalo todo a fuego lento de 20 a 25 minutos, hasta que se absorba todo el líquido. Si los granos de arroz no están cocidos, vierta un poco más de caldo y deje que cuezan hasta que estén tiernos y se absorba todo el líquido.

Aparte la cazuela del fuego y deseche las hojas de laurel. Pruebe el arroz y corrija de sal y pimienta, si es necesario. Finalmente, añada los anacardos y remueva bien. Sirva el arroz caliente.

8

Los postres suelen tener la merecida reputación de ser perversas tentaciones rebosantes de grasas, azúcar y calorías. No obstante, en las recetas siguientes se ha logrado un buen equilibrio entre el placer y la contención gracias a una exuberante colección de frutas frescas, con alguna pequeña concesión a los adictos al chocolate.

POSTRES

Las *Brochetas de fruta al horno*, a base de vistosas frutas exóticas, son una receta rápida y a la vez todo un festín para la vista, mientras que en el caso de las *Peras asadas con especias* basta con hornearlas en su delicioso jugo para obtener un resultado impecable. También se han incluido aquí recetas más opulentas, como la clásica *Tarta de limón y merengue*, o un *Arroz con leche* tradicional con un innovador toque cítrico. Entre las tentaciones frías encontrará el inmortal *Tiramisú* y un aromático *Helado de coco y jengibre*.

1 litro | preparación: 10 min, más 45 min–8 h 30 min de congelación y reposo

helado fácil de mango

INGREDIENTES

600 ml de natillas, ya listas
150 ml de nata ligeramente montada
pulpa de 2 mangos maduros triturada
azúcar glas al gusto (opcional)
pulpa de maracuyá, para acompañar

Mezcle las natillas, la nata y el puré de mango en un bol grande.

Pruebe la mezcla y, si lo desea, añada azúcar glas al gusto. Recuerde que una vez congelado el helado es menos dulce.

Pase la mezcla a una heladera y déjela 15 minutos. También puede introducirla en un recipiente apto para el congelador; tápelo y deje la mezcla en el congelador 2 o 3 horas, hasta que se congele. Pásela a un bol y bátala con un tenedor o una batidora para deshacer los cristales de hielo. Vuelva a pasar la mezcla al recipiente y guárdela en el congelador 2 horas más. Bata el helado de nuevo y déjelo en el congelador otras 2 o 3 horas, hasta que se endurezca.

Saque el helado del congelador y guárdelo en el frigorífico. Déjelo de 20 a 30 minutos para que se ablande. Sírvalo con pulpa de maracuyá.

4 personas | preparación: 10 min, más 1 h 15 min–9 h de congelación | cocción: 5 min

helado de chocolate

INGREDIENTES
6 yemas de huevo
100 g de azúcar extrafino
350 ml de leche
175 ml de nata espesa
90 g de chocolate para cocinar rallado
virutas de chocolate o Caraque, para decorar

Bata las yemas y el azúcar en un bol refractario grande hasta que se forme espuma. Vierta la leche, la nata y el chocolate en una cazuela y llévelo a ebullición. Aparte la cazuela del fuego y vierta el contenido en las yemas. Bátalo todo y páselo de nuevo a la cazuela. Cuézalo a fuego muy lento, removiendo constantemente, hasta que espese. No deje que rompa el hervor. Páselo a un bol y déjelo enfriar. Cúbralo con film y déjelo en el frigorífico 1 hora.

Pase la mezcla a una heladera y déjela 15 minutos. También puede introducirla en un recipiente apto para el congelador; tápelo y deje la mezcla en el congelador 2 o 3 horas, hasta que se congele. Pásela a un bol y bátala con un tenedor o una batidora para deshacer el hielo. Vuelva a pasar la mezcla al recipiente y guárdela en el congelador 2 horas. Bata el helado de nuevo y déjelo en el congelador otras 2 o 3 horas, hasta que se endurezca.

Para preparar el Caraque, funda un poco de chocolate en un bol refractario al baño María, extiéndalo sobre un tablero de plástico y deje que se endurezca. Ráspelo con un cuchillo.

Sirva el helado con virutas de chocolate o Caraque.

1 litro | preparación: 20 min, más 1h 15 min–9 h de enfriamiento, congelación y reposo | cocción: 10 min

helado de coco y jengibre

INGREDIENTES
400 ml de leche de coco
250 ml de nata para montar
4 yemas de huevo
5 cucharadas de azúcar extrafino
4 cucharadas de almíbar de jengibre
6 trozos de jengibre en almíbar escurridos y picados
2 cucharadas de zumo de limón
ralladura de naranja, para decorar

PARA ACOMPAÑAR
lichis
almíbar de jengibre

Caliente la leche de coco y la nata en una cazuela a fuego lento/medio hasta que rompa el hervor. Aparte la cazuela del fuego.

Bata las yemas, el azúcar y el almíbar en un bol grande hasta obtener una mezcla clara y cremosa. Vierta poco a poco la leche de coco caliente, removiendo constantemente. Pase la mezcla de nuevo a la cazuela y caliéntela a fuego lento/medio, sin dejar de remover, hasta que se espese y se adhiera al dorso de una cuchara. Apártela del fuego y déjela enfriar. Finalmente, incorpore el jengibre y el zumo de lima.

Pase la mezcla a una heladera y déjela 15 minutos. También puede introducirla en un recipiente apto para el congelador; tápelo y deje la mezcla en el congelador 2 o 3 horas, hasta que se congele. Pásela a un bol y bátala con un tenedor o una batidora para deshacer el hielo. Vuelva a pasar la mezcla al recipiente y guárdela en el congelador 2 horas más. Bata el helado de nuevo y déjelo en el congelador otras 2 o 3 horas, hasta que se endurezca.

Saque el helado del congelador y guárdelo en el frigorífico de 20 a 30 minutos para que se ablande. Para acabar, sírvalo con ralladura de naranja, lichis y un chorrito de almíbar de jengibre.

4–6 personas | preparación: 10 min, más 1h–6 h 45 min de enfriamiento, congelación y reposo | cocción: 5 min

sorbete de limón al cava

INGREDIENTES
3–4 limones
250 ml de agua
200 g de azúcar extrafino
ramitas de menta fresca, para decorar
1 botella de cava muy fría, para servir

Haga rodar los limones sobre la superficie de trabajo, presionando: así obtendrá más zumo. Corte unas tiras de la piel y resérvelas para decorar el sorbete, si lo desea, y a continuación ralle la piel de los 3 limones. Exprima los que necesite hasta obtener 175 ml de zumo.

Introduzca el agua y el azúcar en una cazuela de fondo pesado y remueva para disolver el azúcar a fuego medio/vivo. Lleve el agua a ebullición, sin remover, y déjela hervir 2 minutos. Aparte el agua del fuego y agregue la ralladura. Tape y déjela reposar 30 minutos o hasta que se enfríe.

Cuando la mezcla esté fría, incorpore el zumo de limón. Cuélela, pásela a una heladera y elabore el sorbete según las instrucciones del fabricante. También puede introducirla en un recipiente apto para el congelador y dejarla allí 2 o 3 horas, hasta que adquiera una consistencia blanda y se congelen los bordes. A continuación, pase el sorbete a un bol, bátalo y devuélvalo al congelador. Repita el proceso dos veces. Saque el sorbete del congelador 10 minutos antes de servirlo para que se ablande.

Sirva las bolas de sorbete con piel de limón (si lo desea), ramitas de menta y un chorrito de cava.

VARIANTE
Puede servir este sorbete dentro de cáscaras de limón vacías congeladas. Para ello, corte la parte superior de entre 4 y 6 limones y extraiga la pulpa con una cucharita. Introduzca el sorbete cuando esté casi congelado y métalos de pie en el congelador hasta que se endurezca.

6 personas | preparación: 10 min, más 9 h de enfriamiento y reposo | cocción: 1 h 15 min–1 h 30 min

flan al caramelo

INGREDIENTES
500 ml de leche entera
½ naranja y 2 tiras de su piel
1 vaina de vainilla o ½ cucharadita de esencia
175 g de azúcar extrafino
4 cucharadas de agua
mantequilla, para engrasar
3 huevos grandes más 2 yemas de huevo grandes

Vierta la leche en una cazuela y añada la piel de naranja y la vaina de vainilla. Lleve la leche a ebullición, apártela del fuego e incorpore 100 g de azúcar. Déjela reposar un mínimo de 30 minutos.

Mientras tanto, ponga el azúcar restante y el agua en una cazuela aparte a fuego medio/vivo y remueva para disolver el azúcar. A continuación, déjelo hervir sin remover hasta que el caramelo adquiera un tono marrón.

Aparte inmediatamente la cazuela del fuego y agregue unas gotas de zumo de naranja para detener la cocción. Finalmente, cubra con caramelo el fondo de una flanera de 1,25 litros de capacidad.

Precaliente el horno a 160°C. Cuando la leche haya absorbido los aromas de la naranja y la vainilla, ponga la cazuela de nuevo en el fuego y lleve la leche a ebullición a fuego lento. Mientras tanto, bata los huevos enteros y las yemas en un bol. Vierta la leche tibia en el bol, batiendo constantemente. Luego, cuele la mezcla y pásela al molde.

Coloque la flanera sobre una fuente refractaria honda y vierta agua hirviendo, de modo que cubra hasta la mitad del borde de la flanera. Meta el flan en el horno de una hora y cuarto a una hora y media, hasta que esté hecho. Para comprobarlo, pinche el centro del flan con un cuchillo: debe salir limpio.

Saque el flan del horno y deje que se enfríe completamente. Una vez frío, tápelo y guárdelo en el frigorífico hasta el día siguiente.

Para desmoldar el flan, sepárelo de los bordes del molde con una espátula de metal e inviértalo sobre un plato con un borde decorado. Sacúdalo con firmeza para que se desprenda.

6 personas | preparación: 30 min, más 3 h 30 min de refrigeración | cocción: 20 min

gran tarta de chocolate

INGREDIENTES

MASA DE CHOCOLATE

125 g de harina, y un poco más para espolvorear

**2 cucharaditas de cacao en polvo, y un poco
  más para espolvorear**

2 cucharaditas de azúcar glas

una pizca de sal

50 g de mantequilla fría cortada en dados

1 yema de huevo

agua muy fría

**virutas de chocolate blanco y negro o
  Caraque, para decorar**

RELLENO

200 g de chocolate negro con un 70% de cacao

25 g de mantequilla a temperatura ambiente

225 ml de nata espesa

1 cucharadita de ron oscuro (opcional)

Engrase ligeramente un molde desmontable para tarta de 23 cm de diámetro con el borde acanalado. Tamice la harina, el cacao, el azúcar y la sal, añada la mantequilla y tritúrelo todo en un robot de cocina hasta que la masa adquiera una consistencia desmigada. Introdúzcala en un bol grande y agregue la yema y un poco de agua muy fría, lo suficiente para ligar la masa. Pásela a una superficie de trabajo espolvoreada con harina y cacao, extiéndala hasta que sea 8 cm más grande que el molde y fórrelo con ella. Pase el rodillo por encima del molde para retirar la masa sobrante del borde. Forre la masa con papel parafinado y llénela de judías secas. Déjela en el frigorífico 30 minutos. Mientras tanto, precaliente el horno a 190°C.

Hornee la masa 15 minutos. Retire el papel y las judías, y vuelva a dejarla otros 5 minutos en el horno.

Para preparar el relleno, pique el chocolate y póngalo en un bol refractario junto con la mantequilla. Lleve la nata a ebullición en una cazuela y a continuación viértala en el bol del chocolate, removiendo constantemente. Añada el ron, si lo desea, y siga removiendo hasta que el chocolate esté totalmente fundido. Incorpore la mezcla a la tarta y déjela en el frigorífico 3 horas. Para servirla, decórela con virutas de chocolate o Caraque.

4 personas | preparación: 15 min | cocción: 10–15 min

crêpes de plátano

INGREDIENTES
225 g de harina
2 cucharadas de azúcar moreno
2 huevos
450 ml de leche
ralladura y zumo de 1 limón
50 g de mantequilla
3 plátanos
4 cucharadas de jarabe de caña de azúcar

Mezcle la harina y el azúcar en un bol grande. Haga un hueco en el centro, introduzca los huevos y la mitad de la leche, y bátalo poco a poco, tomando harina y azúcar del borde del bol, hasta obtener una mezcla homogénea. Agregue poco a poco la leche restante, sin dejar de batir, hasta obtener una masa homogénea. Finalmente, añada la ralladura.

Derrita un poco de mantequilla en una sartén de 20 cm de diámetro a fuego vivo. Vierta un cuarto de la masa, incline la sartén para repartir la masa por el fondo y déjela 1 o 2 minutos, hasta que se solidifique. Dele la vuelta a la crêpe y repita la operación. Mantenga caliente la crêpe en el horno a baja temperatura mientras prepara 3 crêpes más.

Trocee los plátanos, empápelos en zumo para que no se ennegrezcan y mézclelos con el jarabe. Para servir, doble cada crêpe en 4 e introduzca la mezcla de plátano en el centro. Sírvalas calientes.

4 personas | preparación: 10 min, más 10 min de marinada | cocción: 10 min

brochetas de fruta al horno

INGREDIENTES

2 cucharadas de aceite de avellana

2 cucharadas de miel líquida

zumo y ralladura fina de 1 lima

2 rodajas de piña cortadas por la mitad

8 fresas

1 pera pelada, sin corazón y cortada en rodajas gruesas

1 plátano pelado y cortado en rodajas gruesas

2 kiwis pelados y cortados en cuartos

1 carambola cortada en 4 rodajas

Precaliente el grill a temperatura media. Mezcle el aceite, la miel, el zumo y la ralladura de lima en una fuente grande y poco honda que no sea metálica. Añada la fruta y remueva para que se impregne. Tape la fuente y deje marinar la fruta 10 minutos.

Ensarte las frutas en 4 brochetas metálicas largas, alternando unas con otras. Empiece con un trozo de piña y acabe con otro de carambola.

Unte las brochetas con la marinada y áselas bajo el grill durante 5 minutos. Siga untándolas con la marinada con frecuencia a lo largo de la cocción. Dé la vuelta a las brochetas, úntelas con la marinada restante y déjelas en el grill 5 minutos más. Una vez hechas, sírvalas de inmediato.

CONSEJO

La miel puede tener aromas muy distintos. Las variedades de mayor calidad y con un sabor más característico suelen estar elaboradas con un solo tipo de flor. Para esta receta, pruebe la miel de naranja, acacia o lima.

VARIANTE

También puede preparar las brochetas con uvas sin pepitas, mango y papaya.

4 personas | preparación: 5 min | cocción: 30 min

peras asadas con especias

INGREDIENTES

4 peras grandes y duras
150 ml de zumo de manzana
1 rama de canela
4 clavos de especia enteros
1 hoja de laurel

Precaliente el horno a 180°C.

Pele las peras, descorazónelas y córtelas en cuartos. Seguidamente, introdúzcalas en una fuente refractaria y añada los ingredientes restantes.

Tape la fuente y hornee las peras durante 30 minutos.

Puede servir este plato caliente o frío.

4 personas | preparación: 10 min | cocción: 12–15 min

albaricoques al horno con miel

INGREDIENTES
mantequilla, para engrasar
4 albaricoques cortados por la mitad y sin hueso
4 cucharadas de almendras laminadas
4 cucharadas de miel
una pizca de jengibre molido o nuez moscada
helado de vainilla, para servir (opcional)

Precaliente el horno a 200°C. Engrase ligeramente una fuente refractaria suficientemente grande como para poder colocar todas las mitades de albaricoque en una sola capa.

Disponga los albaricoques con el corte hacia arriba. Esparza las almendras por encima, rocíe la fruta con miel y finalmente espolvoréela con las especias.

Meta la fuente en el horno entre 12 y 15 minutos, hasta que los albaricoques estén tiernos y las almendras, doradas. Sirva el postre de inmediato y, si lo desea, acompáñelo de helado.

6 personas | preparación: 15 min | cocción: 25–30 min

crumble de ruibarbo

INGREDIENTES
900 g de ruibarbo
115 g de azúcar extrafino
ralladura y zumo de 1 naranja
nata, yogur o natillas, para acompañar

CRUMBLE
225 g de harina blanca o integral
115 g de mantequilla
115 g de azúcar moreno
1 cucharadita de jengibre molido

Precaliente el horno a 190°C.

Corte el ruibarbo en trozos de 2,5 cm y páselo a una fuente refractaria de 1,75 litros de capacidad, junto con el azúcar y la ralladura y el zumo de naranja.

Para preparar el crumble, introduzca la harina en un bol, añada la mantequilla y mézclela con la harina con las yemas de los dedos hasta que la masa adquiera una consistencia desmigada. Agregue a continuación el azúcar y el jengibre.

Extienda la mezcla por encima de la fruta de forma uniforme y presione ligeramente con un tenedor.

Hornee el crumble en la parte central del horno entre 25 y 30 minutos, hasta que se dore la cobertura.

Sírvalo tibio, acompañado de nata, yogur o natillas.

4–6 personas | preparación: 10 min | cocción: 30 min

arroz con leche

INGREDIENTES
1 naranja grande
1 limón
1 l de leche
250 g de arroz de grano corto
100 g de azúcar extrafino
1 vaina de vainilla abierta
una pizca de sal
125 ml de nata espesa
azúcar moreno, para servir (opcional)

Ralle finas la piel de la naranja y el limón, y resérvelas. Enjuague con agua fría el interior de una cazuela de fondo pesado y no la seque.

Introduzca la leche y el arroz en la cazuela y llévelo todo a ebullición a fuego medio/vivo. Reduzca el fuego, incorpore el azúcar, la vainilla, la ralladura de naranja y limón y la sal, y cuézalo todo a fuego lento, removiendo con frecuencia, hasta que se forme una mezcla espesa y cremosa y los granos de arroz estén tiernos. Esta operación puede tardar hasta 30 minutos, en función del diámetro de la cazuela.

Deseche la vaina de vainilla y agregue la nata. Sirva el plato de inmediato, espolvoreado con azúcar moreno por encima, si lo desea. También puede dejarlo enfriar totalmente. En ese caso, tape la fuente y guárdela en el frigorífico (frío quedará más espeso; añada más leche, si es necesario).

4 personas | preparación: 20 min, más 2 h de refrigeración

tiramisú

INGREDIENTES

200 ml de café solo cargado, a temperatura ambiente
4 cucharadas de licor de naranja, por ejemplo Cointreau
3 cucharadas de zumo de naranja
16 bizcochos
250 g de queso mascarpone
300 ml de nata espesa ligeramente montada
3 cucharadas de azúcar glas
ralladura de 1 naranja
60 g de chocolate rallado

PARA DECORAR
almendras tostadas picadas
piel de naranja confitada

Vierta el café en una jarra y añada el licor y el zumo de naranja. Disponga la mitad de los bizcochos en el fondo de la fuente en la que vaya a servir el postre y rocíelos con la mitad de la mezcla de café.

En un bol aparte, mezcle el queso mascarpone con la nata, el azúcar glas y la ralladura de naranja. Extienda la mitad de esta crema por encima de los bizcochos empapados de café y cúbrala con los bizcochos restantes. Finalmente, vierta la mezcla de café sobrante y a continuación el resto de la crema de mascarpone. Esparza por encima el chocolate rallado.

Deje enfriar el tiramisú en el frigorífico un mínimo de 2 horas. Sírvalo decorado con almendras tostadas picadas y piel de naranja confitada.

6 personas | preparación: 30 min, más 1 h 30 min de refrigeración | cocción: 1 h 30 min

tarta de manzana con dulce de leche

INGREDIENTES

mantequilla, para engrasar

harina, para espolvorear

1 masa de pasta quebrada muy fría

nata espesa, para servir

RELLENO

1,25 kg de manzanas dulces peladas y
 sin corazones

1 cucharadita de zumo de limón

50 g de mantequilla

100 g de azúcar extrafino

200 g de azúcar granulado

90 ml de agua fría

150 ml de nata espesa

azúcar glas, para espolvorear (opcional)

Engrase ligeramente un molde desmontable para tarta de 23 cm de diámetro con el borde acanalado. Extienda la masa en una superficie ligeramente enharinada y forre el molde con ella. Pase el rodillo por encima del molde para retirar la masa sobrante del borde. A continuación, forre el molde con papel parafinado y llene la masa de judías secas. Deje enfriar la masa en el frigorífico 30 minutos. Mientras tanto, precaliente el horno a 190°C.

Hornee la masa 10 minutos. Deseche el papel y las judías y hornéela 5 minutos más.

Corte 4 manzanas en 8 trozos cada una y rocíelas con zumo de limón para que no se ennegrezcan. Derrita la mantequilla en una sartén a fuego medio y fría las manzanas hasta que el borde empiece a caramelizarse. Retírelas de la sartén y déjelas enfriar. Corte las manzanas restantes en rodajas finas e

introdúzcalas en una cazuela, junto con el azúcar extrafino. Cuézalas entre 20 y 30 minutos, hasta que estén tiernas. Luego, disponga las rodajas de manzana sobre la base de la tarta y coloque los trozos reservados en la parte superior, formando un círculo. Hornee la tarta 30 minutos.

Finalmente, introduzca el azúcar granulado y el agua en una cazuela y caliéntelos hasta que se disuelva el azúcar. Déjelo hervir hasta que se forme caramelo. Aparte la cazuela del fuego y añada la nata, removiendo constantemente. Saque la tarta del horno, vierta el dulce de leche por encima y guarde la tarta en el frigorífico 1 hora. Sirva la tarta con azúcar glas tamizado por encima (si lo desea) y acompañada de nata espesa.

8—10 personas | preparación: 30 min, más 45 min de refrigeración | cocción: 50 min

tarta de limón y merengue

INGREDIENTES
mantequilla, para engrasar
1 masa de pasta quebrada muy fría
harina, para espolvorear
3 cucharadas de fécula de maíz
85 g de azúcar extrafino
ralladura de 3 limones
300 ml de agua fría
150 ml de zumo de limón
3 yemas de huevo
50 g de mantequilla cortada en dados

MERENGUE
3 claras de huevo
175 g de azúcar extrafino
1 cucharadita de azúcar moreno granulado

Engrase un molde para tarta de 25 cm de diámetro con el borde acanalado. Extienda la masa sobre una superficie ligeramente enharinada, hasta formar un círculo 5 cm más grande que el molde. Forre el molde con ella y pase el rodillo por encima para retirar la masa sobrante del borde. Pinche la masa de la base del molde con un tenedor y déjela enfriar en el frigorífico, sin tapar, entre 20 y 30 minutos.

Precaliente el horno a 200ºC, con una bandeja dentro. Forre la masa con papel parafinado y llénela de judías secas. Coloque el molde sobre la bandeja y hornee la masa 15 minutos. Retire el papel y las judías y hornéela 10 minutos más, hasta que esté seca y empiece a tomar color. Sáquela del horno y reduzca la temperatura a 150ºC.

Introduzca la fécula de maíz, el azúcar y la ralladura de limón en una cazuela. Vierta un poco de agua y remueva hasta obtener una mezcla homogénea. Añada poco a poco el agua restante y el zumo de limón. A continuación, caliente la cazuela a fuego medio y llévelo todo a ebullición, removiendo constantemente. Prosiga la cocción a fuego lento durante 1 minuto, hasta obtener una mezcla homogénea y brillante. Aparte la cazuela del fuego e incorpore, batiendo, una a una las yemas de huevo. Después, agregue la mantequilla y vuelva a batir la mezcla. Finalmente, coloque la cazuela en una fuente llena de agua fría para que se enfríe el contenido. Cuando esté frío, introduzca el relleno en la masa.

Para preparar el merengue, bata las claras a punto de nieve con una batidora eléctrica. Añada poco a poco el azúcar extrafino, batiendo bien después de cada adición. Cuando el merengue adquiera un aspecto firme y brillante, espárzalo por encima del relleno, de forma que quede totalmente cubierto, y fíjelo con la masa. Forme remolinos de merengue en la superficie y esparza por encima el azúcar granulado.

Hornee la tarta entre 20 y 30 minutos, hasta que el merengue esté crujiente y adquiera un tono dorado (el centro debe quedar blando). Deje enfriar la tarta antes de servirla.

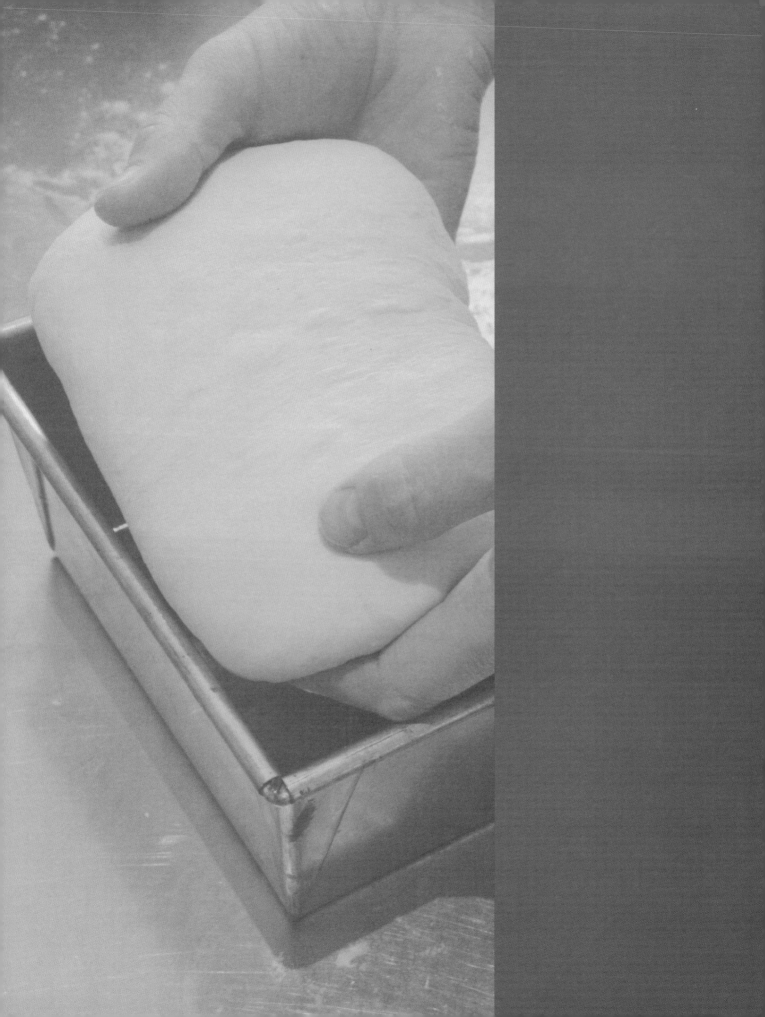

9

El pan recién hecho, con su aroma y sabor celestiales, es sin duda uno de los mayores placeres culinarios, además de uno de los más sencillos de preparar. Con las siguientes recetas básicas, claramente explicadas, conseguirá con toda seguridad la inspiración y la confianza necesarias para empezar a hornear en casa panes deliciosos. No lo dude: es posible conseguir resultados fantásticos con un mínimo esfuerzo.

PAN, BIZCOCHOS Y GALLETAS

Tanto si prefiere dedicar sus ratos junto al horno a preparar recetas dulces como saladas, siempre obtendrá recompensa. En este capítulo se incluyen bizcochos clásicos, como el decorativo *Bizcocho de café con nueces* o el suculento *Bizcocho de chocolate doble*, así como otras tentaciones para la hora de la merienda, como unas refinadas *Galletas de almendra* o unos *Pastelitos de avena con avellana y almendra*.

1 hogaza grande u 8 panecillos | preparación: 20 min, más 1 h 30 min de fermentación | cocción: 15–30 min

pan

INGREDIENTES
mantequilla, para engrasar
450 g de harina fuerte, y un poco más
 para espolvorear
1 cucharadita de sal
1 sobrecito de 7 g de levadura instantánea
1 cucharada de aceite vegetal o mantequilla fundida
350 ml de agua tibia

Engrase un molde para pan de 900 g o 2 fuentes refractarias.

Mezcle la harina, la sal y la levadura en un bol grande. Haga un hueco en el centro, vierta el aceite y el agua y remueva bien, tomando la mezcla de harina de las paredes, hasta obtener una masa blanda.

Amase la mezcla con el accesorio adecuado de un robot de cocina entre 4 y 5 minutos. También puede pasar la masa a una superficie ligeramente enharinada y amasarla bien de 5 a 7 minutos. Debe adquirir una consistencia homogénea y elástica.

Vuelva a introducir la masa en el bol, cúbrala con film transparente y déjela reposar en un lugar cálido, para que suba, durante 1 hora o hasta que doble su tamaño.

Pase la masa a la superficie de trabajo y vuelva a amasarla hasta obtener una mezcla homogénea. Para que el pan tenga forma de barra de pan de molde, forme con ella un rectángulo igual de largo que el molde y 3 veces más ancho. Doble la masa en 3 e introdúzcala en el molde preparado, con la juntura en la parte inferior. También puede dividir la masa en 8 trozos iguales, darles forma redonda y colocarlos bien separados en las fuentes preparadas. Para que la corteza sea más blanda, espolvoréelos con un poco más de harina. A continuación, cubra el pan con film transparente y déjelo subir en un lugar cálido 30 minutos más o hasta que la hogaza sobresalga considerablemente del molde o los panecillos doblen su tamaño.

Mientras tanto, precaliente el horno a 230°C. Si prepara una sola barra, colóquela en el centro del horno y déjela de 25 a 30 minutos, hasta que esté bien hecha. Para comprobarlo, golpee la parte inferior del molde; debe sonar a hueco. Si la superficie se dora demasiado reduzca un poco la temperatura. Si prefiere preparar panecillos, hornéelos de 15 a 20 minutos; gire las fuentes a media cocción. Cuando el pan esté hecho, déjelo enfriar sobre una rejilla. Es preferible consumirlo lo antes posible.

2 hogazas pequeñas | preparación: 20 min, más 2 h 15 min de fermentación | cocción: 40 min

pan con aceitunas y tomates secados al sol

INGREDIENTES

400 g de harina, y un poco más para espolvorear

1 cucharadita de sal

1 sobrecito de 7 g de levadura instantánea

1 cucharadita de azúcar moreno

1 cucharada de tomillo fresco picado

4 cucharadas de aceite de oliva, y un poco más para engrasar

200 ml de agua caliente (a 50°C)

50 g de aceitunas negras deshuesadas y en rodajas

50 g de aceitunas verdes deshuesadas y en rodajas

100 g de tomates secados al sol en aceite de oliva escurridos y en rodajas

1 yema de huevo batida

Mezcle la harina, la sal y la levadura en un bol grande y agregue el azúcar y el tomillo. Haga un hueco en el centro, vierta la mayor parte del aceite y el agua y remueva bien, tomando la mezcla de harina de las paredes, hasta obtener una masa blanda. Añada el aceite y el agua restantes, si es necesario. Incorpore las aceitunas y los tomates secados al sol y, a continuación, pase la masa a una superficie ligeramente enharinada. Amásela bien durante 5 minutos y dele forma de bola. Luego, unte el bol con aceite y vuelva a introducir la masa. Cúbrala con film transparente y déjela subir en un lugar cálido una hora y media o hasta que la masa doble su tamaño.

Espolvoree con harina una bandeja de horno. A continuación, extienda la masa sobre la superficie de trabajo y vuelva a amasarla un poco. Divídala en dos trozos y dele a cada uno una forma ovalada o redondeada. Coloque los trozos de masa en la bandeja de horno, cúbralos con film transparente y deje reposar la masa de nuevo en un lugar cálido durante 45 minutos o hasta que doble su tamaño.

Mientras tanto, precaliente el horno a 200°C. Realice 3 cortes poco profundos en diagonal en la superficie de cada hogaza y píntelas con huevo. Hornéelas 40 minutos o hasta que estén cocidas; deben quedar doradas por encima y sonar a hueco cuando se les golpee por debajo. Déjelas enfriar en una rejilla. Se conservan hasta 3 días en un recipiente hermético.

pan de soda

INGREDIENTES
mantequilla para engrasar
450 g de harina, y un poco más para espolvorear
1 cucharadita de sal
1 cucharadita de bicarbonato sódico
400 ml de suero de leche

Precaliente el horno a 220°C y engrase una bandeja de horno.

Tamice la harina, la sal y el bicarbonato sódico en un bol grande. Haga un hueco en el centro, vierta la mayor parte del suero de leche y remueva bien, tomando la mezcla de harina de las paredes, hasta obtener una masa muy blanda, pero no excesivamente húmeda. Añada el suero de leche restante, si es necesario.

Extienda la masa en una superficie ligeramente enharinada y amásela un poco. Forme un círculo de 20 cm de diámetro.

Coloque la masa en la bandeja de horno, haga una incisión con forma de cruz en la superficie y hornee el pan entre 25 y 30 minutos, hasta que esté cocido; debe sonar a hueco cuando se golpee por debajo. Este pan se come caliente y siempre resulta mejor si se consume el mismo día en que se elabora.

VARIANTES
También puede añadir 1 cucharada de romero fresco picado y 50 g de pasas sultanas. Si desea introducir algún cambio, haga este pan con harina Granary y agregue un puñado de semillas o harina gruesa de avena; o bien con mitad de harina molida tradicionalmente y mitad de harina blanca y 50 g de nueces picadas. También se puede preparar una variante dulce añadiendo 25 g de azúcar y 85 g de frutas secas variadas. Otra versión dulce se prepara con 1 cucharada de azúcar y 85 g de chocolate negro picado grueso.

8 unidades | preparación: 25 min, más 1 h 40 min de reposo y fermentación | cocción: 10 min

naan (pan indio)

INGREDIENTES

1 cucharadita de levadura fresca

unos 150 ml de agua caliente

1 cucharadita de azúcar

200 g de harina, y un poco más para espolvorear

1 cucharadita de sal

3 cucharadas de manteca o aceite vegetal

1 cucharadita de guindilla en polvo

½ cucharadita de cilantro molido

Mezcle la levadura, el agua y el azúcar en un bol y deje reposar la mezcla 10 minutos. Tamice la harina y la sal en un bol aparte. Haga un hueco en el centro, introduzca en él 1 cucharada de manteca y la mezcla de levadura y remueva bien, tomando la harina de las paredes, hasta obtener una masa homogénea. Dele forma de bola y pásela a una superficie ligeramente enharinada. Amásela durante 5 minutos y pásela de nuevo al bol. Tápelo y deje subir la masa en un lugar cálido durante una hora y media o hasta que doble su tamaño.

Trabaje la masa 3 minutos más, divídala en 8 trozos y deles forma de bola. Aplane los trozos, formando panecillos ovalados de 5 mm de grosor. Mezcle la guindilla en polvo y el cilantro, y reboce los panecillos en la mezcla de especias de manera uniforme.

Precaliente el grill a temperatura alta. Forre una rejilla con papel de aluminio engrasado con manteca. Coloque los panes en la rejilla, engráselos y déjelos en el horno 10 minutos. Vaya dándoles la vuelta y untándolos con manteca durante la cocción. Sírvalos calientes.

scones

INGREDIENTES

450 g de harina, y un poco más para espolvorear
½ cucharadita de sal
2 cucharaditas de levadura
50 g de mantequilla
2 cucharadas de azúcar extrafino
250 ml de leche, y un poco más para glasear
mermelada de fresa y nata cuajada, para acompañar

Precaliente el horno a 220°C. Tamice la harina, la sal y la levadura en un bol. Añada la mantequilla y mézclela con la harina con las yemas de los dedos hasta que la masa adquiera una consistencia desmigada. Incorpore el azúcar.

Haga un hueco en el centro, vierta la leche y mézclelo todo con un cuchillo de hoja plana hasta obtener una masa blanda.

Después, pase la masa a una superficie ligeramente enharinada y aplánela con suavidad, hasta que tenga un grosor uniforme de un 1 cm. Manipule la masa con cuidado.

Corte los scones con un molde redondo de 6 cm de diámetro y dispóngalos en una bandeja de horno.

A continuación, úntelos con un poco de leche y hornéelos entre 10 y 12 minutos, hasta que suban y se doren bien.

Páselos a una rejilla para que se enfríen. Sírvalos recién hechos y con sus acompañamientos tradicionales: mermelada de fresa y nata cuajada.

VARIANTES

Para preparar scones con fruta, añada 50 g de fruta variada junto con el azúcar. Si prefiere una variante integral, use harina integral y no incluya azúcar; los scones integrales son deliciosos con sopas y quesos. También puede preparar scones con queso: no añada azúcar ni fruta y agregue 50 g de cheddar o Double Gloucester bien rallados y 1 cucharadita de mostaza en polvo seca.

6 unidades | preparación: 20 min, más 40 min de enfriamiento | cocción: 55 min

bizcocho de zanahoria

INGREDIENTES
mantequilla, para engrasar
100 g de harina de fuerza
una pizca de sal
1 cucharadita de especias variadas molidas
½ cucharadita de nuez moscada molida
125 g de azúcar moreno
2 huevos batidos
5 cucharadas de aceite de girasol
125 g de zanahorias peladas y ralladas
1 plátano troceado
25 g de frutos secos variados tostados y picados

COBERTURA
40 g de mantequilla blanda
3 cucharadas de queso crema
175 g de azúcar glas tamizado
1 cucharadita de zumo de naranja recién
  exprimido
ralladura de ½ naranja
nueces enteras o partidas por la mitad,
  para decorar

Precaliente el horno a 190°C. Engrase un molde cuadrado de 18 cm y fórrelo con papel parafinado.

Tamice la harina, la sal, las especias variadas y la nuez moscada en un bol. Agregue el azúcar moreno y, a continuación, los huevos y el aceite. Añada también las zanahorias, el plátano y los frutos secos y mézclelo todo bien.

Pase la mezcla al molde y alise la superficie. Hornee el bizcocho durante 55 minutos o hasta que esté dorado y resulte firme al tacto. Déjelo enfriar un poco y, cuando esté lo bastante frío como para manipularlo, deposítelo en una rejilla y deje que se enfríe del todo.

Para preparar la cubierta, introduzca en un bol la mantequilla, el queso crema, el azúcar glas y el zumo y la ralladura de naranja, y bátalo todo bien hasta obtener una textura cremosa. Extienda la mezcla por encima del bizcocho frío y, acto seguido, dibuje unas líneas onduladas superficiales con un tenedor. Esparza por encima las nueces, corte el bizcocho en porciones y sírvalo.

10–12 porciones | preparación: 25 min, más 40 min de remojo y enfriamiento | cocción: 45 min

bizcocho de chocolate doble

INGREDIENTES

100 g de pasas

ralladura fina y zumo de 1 naranja

175 g de mantequilla, cortada en dados, y
un poco más para engrasar

100 g de chocolate negro, con al menos
un 70% de cacao, troceado

4 huevos grandes batidos

100 g de azúcar extrafino

1 cucharadita de esencia de vainilla

50 g de harina

50 g de almendras molidas

½ cucharadita de levadura

una pizca de sal

50 g de almendras blanqueadas, tostadas
ligeramente y picadas

azúcar glas tamizado, para decorar

Precaliente el horno a 180°C. Forre con papel encerado un molde desmontable redondo y alto, de 25 cm de diámetro. Engrase el papel.

Ponga las pasas en remojo con el zumo de naranja durante 20 minutos en un bol pequeño.

Derrita la mantequilla y el chocolate en un cazo a fuego medio, sin dejar de remover. Aparte el cazo del fuego y deje que se enfríe.

Bata los huevos, el azúcar y la esencia de vainilla con una batidora eléctrica durante 3 minutos o hasta obtener una textura clara y esponjosa. Incorpore la mezcla de chocolate, una vez fría.

Escurra las pasas, si no han absorbido todo el zumo de naranja. A continuación, tamice la harina, las almendras molidas, la levadura y la sal en el bol del huevo batido. Añada las pasas, la ralladura de naranja y las almendras picadas, y mézclelo todo bien.

Pase la mezcla al molde y alise la superficie. Hornee el bizcocho durante 40 minutos o hasta que, al insertar una brocheta en el centro de la masa, esta salga limpia y el bizcocho empiece a separarse de las paredes del molde. Deje que se enfríe dentro del molde 10 minutos y a continuación desmóldelo, páselo a una rejilla y déjelo enfriar completamente. Antes de servirlo, espolvoree la superficie con azúcar glas.

4 personas | preparación: 20 min, más 2 h 30 min de enfriamiento y refrigeración | cocción: 1 h

bizcocho de café con nueces

INGREDIENTES

BAÑO DE CHOCOLATE

6 cucharadas de cacao en polvo orgánico

2 cucharadas de fécula de maíz

6 cucharadas de azúcar extrafino

125 ml de café solo cargado, frío

250 ml de leche

BIZCOCHO

275 g de harina

1 cucharada de levadura

85 g de azúcar extrafino

85 g de mantequilla a temperatura ambiente,
y un poco más para engrasar

2 huevos

150 ml de leche

3 cucharadas de café solo cargado, caliente

60 g de nueces picadas

50 g de pasas sultanas

nueces partidas por la mitad, para decorar

Para preparar el baño de chocolate, introduzca los ingredientes en un robot de cocina y tritúrelos hasta obtener una mezcla cremosa. Pásela a una cazuela y caliéntela a fuego medio hasta que burbujee, removiendo constantemente. Cuézala 1 minuto y pásela a un bol refractario. Déjela enfriar; a continuación, cúbrala con film transparente y guárdela en el frigorífico por lo menos 2 horas.

Precaliente el horno a 190°C. Engrase un molde desmontable de 23 cm de diámetro y fórrelo con papel parafinado. Para preparar el bizcocho, tamice la harina y la levadura en un bol y seguidamente agregue el azúcar. En un bol aparte, bata la mantequilla, los huevos, la leche y el café, e incorpore la mezcla de harina. Agregue también las nueces y las pasas sultanas. Pase la mezcla al molde y alise la superficie. Hornee el bizcocho 1 hora y déjelo enfriar. Cuando se enfríe lo suficiente como para manipularlo, colóquelo en una rejilla y deje que se enfríe completamente. Extienda el baño de chocolate sobre el bizcocho frío, decórelo con nueces y sírvalo.

12–18 porciones | preparación: 15 min, más 15 min de enfriamiento | cocción: 1 h 35 min

bizcocho de jengibre

INGREDIENTES

450 g de harina

3 cucharaditas de levadura

1 cucharadita de bicarbonato sódico

3 cucharaditas de jengibre molido

175 g de mantequilla

175 g de azúcar moreno

175 g de melaza

175 g de jarabe de caña de azúcar, y un poco más para acompañar (opcional)

1 huevo batido

300 ml de leche

nata, para acompañar (opcional)

Precaliente el horno a 160°C. Forre con papel encerado o parafinado un molde cuadrado de 23 cm de lado y 5 cm de profundidad.

Tamice los ingredientes secos en un bol grande. Introduzca la mantequilla, el azúcar, la melaza y el jarabe en una cazuela mediana y caliéntelo todo a fuego lento hasta que la mantequilla se derrita y el azúcar se disuelva. Déjelo enfriar un poco. Mezcle el huevo batido con la leche y añádalos a la mezcla de jarabe.

Agregue los ingredientes líquidos a la mezcla de harina y bátalo todo bien con una cuchara de madera hasta obtener una mezcla homogénea y brillante.

Vierta la mezcla en el molde preparado y hornee el bizcocho en el centro del horno durante una hora y media, hasta que suba bien, se note firme al tacto y, al insertar una brocheta en el centro de la masa, esta salga limpia. De esta forma el bizcocho

quedará deliciosamente húmedo, pero si prefiere que quede más entero, déjelo en el horno 15 minutos más.

Deje que el bizcocho se enfríe dentro del molde. Una vez frío, desmóldelo junto con el papel y envuélvalo en aluminio. Puede guardarse en un recipiente hermético hasta 1 semana; de este modo, los aromas se irán asentando.

Córtelo en porciones y sírvalo para merendar o de postre, acompañado de nata. Con un chorrito de jarabe caliente el resultado es inmejorable.

30 unidades | preparación: 15 min | cocción: 10 min

galletas de naranja y queso crema

INGREDIENTES
225 g de mantequilla o margarina,
 y un poco más para engrasar
200 g de azúcar mascabado
85 g de queso crema
1 huevo batido ligeramente
350 g de harina
1 cucharadita de bicarbonato sódico
1 cucharada de zumo de naranja recién exprimido
1 cucharadita de ralladura fina de naranja,
 y un poco más para decorar
azúcar demerara, para espolvorear

Precaliente el horno a 190°C y engrase una bandeja de horno grande.

Introduzca la mantequilla, el azúcar y el queso crema en un bol grande y bátalos hasta obtener una textura ligera y esponjosa. Agregue el huevo y bátalo también. A continuación, tamice la harina y el bicarbonato y añádalos junto con el zumo y la ralladura de naranja. Mézclelo todo bien.

Disponga unas 30 cucharadas redondeadas de masa en la bandeja preparada, con cuidado de que queden bien separadas. Esparza por encima el azúcar demerara.

Hornee las galletas 10 minutos o hasta que los bordes se doren un poco.

Por último, déjelas enfriar en una rejilla y decórelas con ralladura de naranja antes de servirlas.

36 unidades | preparación: 10 min | cocción: 12 min

pastelitos de avena con avellana y almendra

INGREDIENTES

175 g de mantequilla o margarina, y un poco más para engrasar

140 g de azúcar demerara

1 huevo

100 g de harina

½ cucharadita de sal

1 cucharadita de bicarbonato sódico

¼ cucharadita de esencia de almendra

125 g de copos de avena

40 g de avellanas picadas gruesas

40 g de almendras picadas gruesas

175 g de trocitos de chocolate negro

Precaliente el horno a 190°C y engrase una bandeja de horno grande.

Introduzca la mantequilla y el azúcar en un bol grande y bátalos hasta obtener una textura ligera y esponjosa. Incorpore el huevo y bátalo todo bien.

Tamice la harina, la sal y el bicarbonato en un bol aparte e incorpore la mezcla al preparado de mantequilla.

A continuación, añada la esencia de almendra y los copos de avena, y bátalo todo bien. Incorpore finalmente los frutos secos y los trocitos de chocolate.

Disponga 36 cucharaditas de masa en la bandeja preparada, con cuidado de que queden bien separadas. Hornee los pastelitos durante 12 minutos o hasta que se doren.

Antes de servirlos, déjelos enfriar sobre una rejilla.

unas 60 unidades | preparación: 15 min | cocción: 15–20 min

galletas de almendra

INGREDIENTES
150 g de mantequilla a temperatura ambiente,
  y un poco más para engrasar
150 g de azúcar extrafino
115 g de harina
25 g de almendras molidas
una pizca de sal
75 g de almendras blanqueadas, ligeramente
  tostadas y bien picadas
ralladura fina de 1 limón grande
4 claras de huevo

Precaliente el horno a 180°C y engrase una o más bandejas de horno. Introduzca la mantequilla y el azúcar en un bol y bátalos hasta obtener una consistencia ligera y esponjosa. Agregue la harina, la almendra molida y la sal tamizadas, presionando un poco la almendra molida que quede en el tamiz. A continuación, incorpore la almendra picada y la ralladura de limón con una cuchara metálica grande.

En un bol aparte, limpio y sin grasa, bata las claras a punto de nieve. Seguidamente, incorpórelas a la mezcla de almendra.

Vierta cucharaditas pequeñas de la masa en la bandeja preparada, con cuidado de que queden bien separadas (tal vez necesite hacer varias tandas). Hornee las galletas entre 15 y 20 minutos, hasta que se doren por el borde, y déjelas enfriar en una rejilla antes de servirlas.

24 unidades | preparación: 10 min, más 30 min de refrigeración | cocción: 12 min

galletas de chocolate y frutos secos

INGREDIENTES

225 g de mantequilla o margarina,
 y un poco más para engrasar
275 g de azúcar demerara
1 huevo
140 g de harina tamizada
1 cucharadita de levadura
1 cucharadita de bicarbonato sódico
125 g de copos de avena
20 g de salvado
20 g de germen de trigo
115 g de frutos secos variados tostados
 y picados gruesos
90 g de trocitos de chocolate negro
115 g de pasas y pasas sultanas
175 g de chocolate negro picado grueso

Precaliente el horno a 180°C y engrase una bandeja de horno grande. Introduzca la mantequilla, el azúcar y el huevo en un bol grande y bátalos hasta obtener una consistencia ligera y esponjosa. Añada la harina, la levadura, el bicarbonato, la avena, el salvado y el germen de trigo, y mézclelo todo bien. Finalmente incorpore los frutos secos, los trocitos de chocolate y la fruta seca.

Coloque 24 cucharadas redondeadas de la masa en la bandeja preparada y hornee las galletas 12 minutos o hasta que se doren.

Deje enfriar las galletas en una rejilla. Mientras tanto, funda el chocolate troceado al baño María. Remueva y, a continuación, deje que se enfríe un poco. Decore las galletas con el chocolate fundido, usando una cuchara o una manga pastelera. Antes de servir las galletas, déjelas en el frigorífico 30 minutos, dentro de un recipiente hermético.

30 unidades | preparación: 15 min, más 30 min de refrigeración | cocción: 15 min

galletas de chocolate y nueces del Brasil

INGREDIENTES

50 g de mantequilla o margarina, y un poco más para engrasar

50 g de manteca vegetal

140 g de azúcar demerara

1 huevo

1 cucharadita de esencia de vainilla

1 cucharada de leche

100 g de harina sin tamizar

100 g de copos de avena

1 cucharadita de bicarbonato sódico

una pizca de sal

175 g de trocitos de chocolate sin leche

75 g de nueces del Brasil picadas

Introduzca la mantequilla, la manteca, el azúcar, el huevo, la esencia de vainilla y la leche en un robot de cocina y tritúrelo todo durante por lo menos 3 minutos, hasta obtener una consistencia esponjosa.

Mezcle la harina, la avena, el bicarbonato y la sal en un bol grande. Incorpore también la mezcla de huevo y luego los trocitos de chocolate y las nueces del Brasil, y mézclelo todo bien. Cubra el bol con film transparente y déjelo en el frigorífico 30 minutos para que se compacte la masa. Mientras tanto, precaliente el horno a 180°C y engrase una bandeja de horno grande.

Ponga 30 cucharadas redondeadas de masa en la bandeja preparada, procurando que queden bien separadas. Hornee las galletas 15 minutos o hasta que estén bien doradas.

Déjelas enfriar en una rejilla antes de servirlas.

Índice alfabético